Les plus beaux dessins italiens

Les plus beaux dessins

Les plus beaux dessins italiens

Texte de Winslow Ames

ÉDITIONS DU CHÊNE

Ouvrage déjà paru dans la même collection :
LES PLUS BEAUX DESSINS FRANÇAIS DU 19e SIÈCLE

A paraître prochainement :

LES PLUS BEAUX DESSINS FLAMANDS ET HOLLANDAIS
LES PLUS BEAUX DESSINS DES MAITRES CONTEMPORAINS
LES PLUS BEAUX DESSINS ALLEMANDS

Achevé d'imprimer en février 1964. Dépôt légal 1er trimestre 1964. N° d'édition : 59

Table

Le Titien : *Paysage avec un satyre (détail)*

LE DESSIN est le fondement de la majeure partie de l'art de la Renaissance et, au cours des siècles dans lesquels ont été exécutées les œuvres contenues dans cet ouvrage, le dessin italien a joué un rôle de premier plan dans l'évolution de l'art européen. De nombreux critiques et des collectionneurs estiment qu'après Guardi, c'est-à-dire dans le courant du dix-huitième siècle, l'art du dessin et la peinture sont tombés en décadence. Raisonner de cette façon c'est ne voir dans les œuvres vénitiennes de Guardi que le splendide aboutissement d'une longue tradition qui débuta, à la fin du quatorzième siècle, à Vérone et à Florence.

Même si plus de quatre-vingt-dix pour cent des dessins contemporains de cette longue période sont perdus, on en possède encore un grand nombre et ces spécimens sont même plus nombreux que ceux qui subsistent dans les autres domaines de l'activité artistique hormis, bien entendu, ceux qui se prêtent à la reproduction multiple : livres illustrés, gravures et céramiques par exemple. La sélection qui va suivre résulte d'un choix rigoureux.

Les dessins reproduits dans cet ouvrage sont presque tous des esquisses préliminaires à l'exécution de tableaux de grandes dimensions; certains se refèrent à des œuvres sculpturales, architecturales et même à des réalisations relevant d'un art mineur, la broderie par exemple. Dans la plupart des cas, ces dessins ont été exécutés sur du papier dont la surface n'a pas été entièrement utilisée par l'artiste, comme c'est le cas dans des toiles de certains peintres ou dans des aquarelles de notre temps. Dans le cadre de la sélection des dessins choisis pour illustrer cet ouvrage, l'éventail des techniques et des interprétations est donc extrêmement vaste.

L'individu aime à se situer, savoir quelle est sa place, qui il est, à qui il a affaire; l'artiste s'affirme en conférant, par l'intermédiaire de sa vision et de sa main, une sorte de permanence à des circonstances, même si celles-ci sont éphémères.

Le mouvement de la Renaissance prit naissance en Italie où il se développa activement pendant plusieurs générations; il contribua à faire sentir à l'individu la nécessité de s'approprier le secret de la structure des choses. Des notions que l'on acceptait jusqu'alors sans discussion furent remises en cause; on commença à étudier l'homme, sa constitution physique, ses préoccupations, la nature de ses relations avec la nature et avec Dieu. Dans cette œuvre d'introspection, le dessin joue un rôle essentiel. Bien que la Renaissance s'efforçât de renouer avec l'Antiquité classique, au delà des civilisations gothique et byzantine, à la recherche de l'Age d'Or, deux facteurs favorisèrent l'épanouissement des dons des dessinateurs du début de la Renaissance. Le premier fut le développement de la science empirique, conséquence directe de la pression que l'univers musulman exerçait sur le monde occidental, et le second l'œuvre de copie, réalisée dans les couvents et les monastères, des Saintes Ecritures et des écrits des auteurs classiques. Ces facteurs permirent aux artistes de donner à l'iconographie une forme concrète et, par l'enlumi-

Anonyme lombard (début 15e s.). *Feuille d'album. Plume et lavis (23,9 × 17,1). New York, The Pierpont Morgan Library*

12

nure, de donner libre cours à une imagination affranchie des contraintes antérieures. La médecine islamique et ses émules occidentaux fournissaient en outre une méthode analytique propre à l'étude de l'être humain. Enfin, les différentes techniques en matière d'écriture et de dessin qui avaient cours dans les monastères et les écoles de l'Europe occidentale stimulaient les tendances et l'initiative individuelles.

Notre histoire débute à une époque que précéda une longue période de transition pendant laquelle les canons pourtant considérés comme rigides du gothique finissant se prêtaient à l'exécution de ravissantes scènes champêtres (voir le recueil de modèles de la Pierpont Morgan Library, P. 13). Au début du quinzième siècle, l'atelier de l'artiste était organisé sur le principe de la répartition des tâches. En plus de sa famille qui habitait l'étage au-dessus de l'atelier, le maître d'œuvre devait faire vivre une sorte de communauté de travail et le métier de peintre se situait généralement sur le même plan que celui du tisserand, de l'apothicaire et de l'homme de loi. Le chef d'atelier employait des tâcherons, il tenait une école de genre et les apprentis étaient liés à l'atelier pour un certain nombre d'années. Utilisant une série de thèmes, il gardait pour lui certains "trucs". Il ne s'abandonnait généralement pas à son inspiration, mais travaillait sur commande.

Le maître avait d'ailleurs débuté comme apprenti; il avait commencé par broyer les couleurs, par enduire les panneaux de stuc, par dessiner les esquisses, par affûter les ciseaux. Parfois il servait de modèle pour une étude (par exemple, le dessin de Ghirlandaio, P. 49). Et, quand l'apprenti commençait à dessiner, il copiait généralement les dessins de son maître. Ainsi se déroula l'apprentissage de Léonard de Vinci, de Michel-Ange, de Giovanni Bellini et de Tiépolo. Bien qu'il s'agisse d'un métier, l'admiration dont l'artiste et ses réalisations étaient l'objet sous la Renaissance contribuèrent à hausser certains d'entre eux, particulièrement doués, au niveau de leurs employeurs et de leurs maîtres. De Venise, Albrecht Dürer écrivait, en 1500 : "Ici, je suis un seigneur". Mais les considérations sociales n'ont rien à voir ici et nous reparlerons plus tard de certains genres de dessins après avoir passé en revue les régions de l'Italie et évoqué leurs rivalités dans le domaine des arts.

La puissance et la variété dont témoigne le dessin italien sont la conséquence de l'émulation qui opposait les cités-états italiennes. Au nord de Rome, 1400 artistes avaient constitué de solides noyaux; certains s'en allèrent travailler à la campagne mais la plupart vivaient de la même vie citadine que ceux établis aux alentours des villes. Chaque cité avait sa caractéristique, sa "spécialité, son produit local, étoffes de lin, drap et, parfois, ses mercenaires qui s'engageaient pour combattre les troupes des autres cités-états. Toutes avaient besoin d'artistes pour peindre des portraits, des retables, des coffres, des boîtes à bijoux, pour orner les reliures des annales municipales, les bannières portées en procession, pour dessiner les motifs à broder et pour projeter et fondre heurtoirs et clochettes de table. Certaines villes avaient pour maître un seigneur doublé d'un mécène, le duc d'Urbino par exemple. A Venise, le gouvernement était une oligarchie. La primauté de certaines villes à des époques différentes attira un grand nombre d'artistes étrangers; tel fut le cas des Flamands qui affluèrent à Rome à la fin du seizième siècle. Toutefois, chaque ville-état préservait son originalité sur le plan artistique et, même si certaines tombèrent rapidement en décadence, toutes contribuèrent à la richesse de la production italienne. On a tendance, actuellement, à centrer l'activité artistique du quinzième siècle autour de Vérone et de Florence, celle du seizième siècle autour de Venise et de Rome, celle du dix-septième autour de Bologne et de Naples, celle du dix-huitième autour de Venise et de Rome; c'est là simplifier exagérément le problème car Sienne, Urbino, Gênes, Arezzo et Milan eurent, elles aussi, leur heure de gloire.

La plaine du Pô était une pépinière de dessinateurs et Milan, à l'ouest de la Lombardie, le point de départ pour ceux qui franchissent les Alpes par le col du Simplon. La ville attirait les artistes du nord comme du sud; ils travaillaient à la cathédrale dont la construction, commencée avant 1400, se poursuivait encore au milieu du quinzième siècle. Jusqu'à l'époque de Léonard de Vinci, la dynastie régnante des Sforza n'attira pas à Milan d'artistes de grande notoriété mais elle faisait certainement travailler des enlumineurs, des orfèvres et des architectes. Bramante (P. 37) travailla à Milan pendant une vingtaine d'années; en 1499, il quitta la ville en même temps que Léonard de Vinci, après la chute des Sforza. On a du mal à imaginer l'actuelle métropole lombarde sous l'aspect d'une cité médiévale, celle que connut Léonard qui y travaillait à modifier sa physionomie. Son extraordinaire facilité, son don d'invention exceptionnel, sa puissance d'observation et la curiosité qu'il portait aux choses de la nature lui valurent une réputation de génie universel. Ses activités étaient vraisemblablement moins vastes mais c'est un fait que la gamme de ses dessins témoigne d'un étonnant éclectisme car elle va de la scène de charme (P. 89) au grotesque (P. 89). Léonard laissa à Milan un groupe de disciples qui copièrent et exagérèrent le côté ténébreux, mystérieu et sentimental de son style. Une œuvre révolutionnaire, comme le paysage de la page 84 ne souleva d'écho qu'après plusieurs générations et, plus particulièrement, chez les artistes originaires de pays situés au nord des Alpes. Bien que le dessin de la page 37 ait été éxécuté par Bramante, à Urbino plutôt qu'à Milan, à une époque où il était peintre avant d'être architecte, les hachures horizontales peuvent être considérées comme inspirées de la manière de Léonard.

A l'autre extrémité de la plaine lombarde, Vérone était aussi un point de confluence; quiconque descendait du Brenner y passait nécessairement et, d'autre part, la ville était proche de Venise, port extrêmement actif. Un grand nombre de dessins de l'école véronaise sont parvenus jusqu'à nous mais les spécialistes n'ont pas encore réussi à identifier leurs auteurs. Le dessin (P. 33) dû à Altichiero da Zevio est le plus ancien de ceux reproduits dans ce volume; il est révélateur de l'habitude qu'avaient les artistes de se transmettre les sujets de génération en génération. Pisanello (P. 57) témoigne d'un tempérament plus marqué par l'esprit Renaissance, curieux de détails et de formes empruntées au réel. Il apparaît, en effet, que les artistes de l'école véronaise se sont complus dans l'observation de la vie quotidienne. Pisanello, en revanche, qui travailla également à Naples, à Rimini, à Mantoue et à Venise comme peintre, graveur de monnaies et architecte, dessina chaque motif qui retenait son attention ; il fut l'un des premiers dessinateurs de nus féminins. Toujours préoccupé

Zoppo

Quatre études pour la Vierge et l'Enfant.
Plume (27,4 × 18,2).
Londres, British Museum

d'apprendre, il dessinait aussi bien un cadavre qu'un chien ou un oiseau mort. Sa plume s'attache à rendre les moindres détails avec une optique d'une fraîcheur étonnante.

Padoue, plus proche de Venise que Vérone, fut, en quelque sorte, fécondée par l'œuvre qu'y effectua le grand sculpteur florentin Donatello; il influença tellement Mantégna qu'on chercherait vainement dans l'œuvre de ce dernier des réminiscences du gothique finissant. Dans sa peinture, Mantégna est probablement plus sculpteur que peintre; par le choix des thèmes et par sa manière, il est plus orienté vers l'Antiquité classique que beaucoup d'artistes du début de la Renaissance; ses dessins n'en figurent pas moins parmi les réalisations les plus hardies et les plus explicites de sa génération et ses personnages attestent chez lui une science des attitudes presque digne d'un danseur.

Zoppa, dessinateur natif de Bologne, qui travailla également à Padoue, s'assimila dans une certaine mesure le style et la manière de Mantégna. Le fait est que, dans la région de Padoue, de Bologne, de Ferrare et de Mantoue où s'exerça une grande partie de l'activité de Mantégna, on constate la même tendance à souligner les contours et à figurer systématiquement les ombres par des traits tracés en diagonale; il en résulte, chez certains artistes ferrarais, une impression tantôt de dureté métallique, tantôt un peu désordonnée comme chez Zoppo, tantôt presque alanguie comme chez Francia. Francesco del Cossa (P. 62) et Ercole de Roberti (P. 70) ont, l'un et l'autre, un style assez angulaire mais les thèmes traités le sont fréquemment avec sensibilité.

Dans ce contexte géographique, Mantégna possédait d'autres attaches; beau-frère de Giovanni Bellini qui appartenait à la seconde génération de cette dynastie d'artistes vénitiens, il était, par conséquent, le gendre de Jacopo Bellini (P. 55), dont les compositions témoignent d'une grande richesse d'invention. Ses fils et son gendre tiraient partie de son expérience, utilisaient, le cas échéant, ses thèmes favoris et les reproduisaient sous une forme plus picturale, au graphisme atténué; ce style pictural nouveau dont la polychromie flattait les sens contrastait avec la tendance intellectualisante de la manière florentine.

Le dessin vénitien mettait l'accent sur les volumes, sur les lumières et sur les ombres des masses; le dessin florentin insistait, au contraire, sur le rendu des silhouettes, sur l'équilibre de la composition et sur l'illusion du mouvement. Lorsqu'il travailla à Venise, Bonsignori (P. 69) adopta le modelé lumineux et suggestif de Giovanni Bellini (P. 58) ou d'Alvise Vivarini (P. 59). Mais, chose étrange, le bref séjour que fit, à Venise, le Silicien Antonello da Messina (P. 63) dont les œuvres révèlent certaines caractéristiques flamandes, eut une influence profonde en répandant une sorte de langage pictural commun; sur ce point, le rapprochement avec les quatre derniers dessins qui ont été mentionnés apparaît singulièrement explicite.

Mais, alors que l'art vénitien se complaisait dans la satisfaction des sens et de la vue comme le fera l'impressionnisme au dix-neuvième siècle, l'art florentin se contentait de transmettre, par l'intermédiaire de la vision oculaire, les messages de la plastique. Ainsi qu'on peut le constater dans les dessins en noir et clair sur fond moyennement teinté (P. 39), les dessinateurs vénitiens isolaient et recréaient dans le style cursif qui leur était propre la présence d'une tache de lumière dans les ombres et des taches d'ombre sur les surfaces éclairées. Pour leur part, les dessinateurs florentins mettaient l'accent sur les angles ou sur les points de rencontre des plans à l'endroit où ombres et clartés paraissaient groupés (ex. Fra Filippo Lippi, P. 42). Et, même quand, à Venise, les dessins au fusain et à la craie sur papier bleu comme ceux du Titien et du Tintoret prirent le pas sur les lavis caractéristiques de la fin du quinzième siècle, la conception qu'on avait du dessin resta pratiquement identique. La comparaison entre les planches 76 et 93 met en valeur ce qui sépare les conceptions et les procédés des Vénitiens et des Florentins.

A Florence et à l'époque où les Médicis n'étaient encore que des oligarques et pas encore des grands-ducs, les artistes assoiffés de vérité étudiaient tous les aspects de l'art. Sous l'autorité, si l'on peut dire, des fresques de Giotto, ils associaient l'esthétique et la science à l'étude de l'anatomie et de la perspective. La découverte de la forme à travers le dessin fut le résultat le plus satisfaisant de cette activité. Les œuvres d'Uccello, de Domenico Ghirlandaio, de Lorenzo di Credi, de Verrochio, de Piero di Cosimo, de

Pollaiuolo, explicitent l'esprit nouveau et la fièvre qui caractérisèrent cette recherche esthétique. Ces Florentins, y compris, bien entendu, Léonard de Vinci qui vécut dix ans – entre vingt et trente ans – à Florence, s'intéressaient beaucoup plus au "mécanisme" du corps humain qu'ils ne se préoccupaient de la satisfaction résultant de la vue des surfaces offertes par le corps (ce dont raffolaient, par contre, les Vénitiens); leurs études de silhouettes et les attitudes sont tellement pleines de vie et élégantes que cela compense l'absence de chaleur sensuelle. L'œuvre de Pollaiuolo explicite un intérêt véritable pour l'élément purement physique qui, associé à la passion dont était possédé Signorelli, préfigure l'œuvre de Michel-Ange.

A Parme, ville située à mi-chemin de Milan et de Bologne, naquirent deux grands artistes; les voies qu'ils suivirent divergent de celle choisie par Michel-Ange. Les œuvres d'Antonio Allegri surnommé le Corrège (du nom de son village natal situé aux environs de Parme) annoncent l'élan intense et la luxuriance du style qu'on appellera, cent ans plus tard, le style baroque. Le Parmesan (P. 25) fut l'un des créateurs du style élégant, dit maniériste, contemporain de la fin du seizième siècle.

Sur le plan strictement artistique, l'Ombrie région déjà montagneuse qui se situe au nord de Rome et au sud-est de la Toscane, demeura relativement isolée. A Urbino, petite capitale du duché du même nom, travaillèrent pourtant des artistes remarquables et aussi différents que Piero della Francesca et Raphael (P. 98). L'Ombrie est également le pays natal du Pérugin (P. 97), de Pinturicchio (P. 99 et 100) et de Raphaël qui vit le jour à Urbino. Le tempérament ombrien ne comporte aucun des traits sévères et âpres auxquels on peut s'attendre de la part d'une population semi-montagnarde; il est, au contraire, caractérisé par une sérénité qu'on peut interpréter soit comme de la suavité, soit comme "de la douceur teintée de légèreté". Toutefois, dans ses meilleures réalisations, le tempérament ombrien est à base d'honnêteté, de franchise et de naïveté, terme pris ici dans son sens le plus favorable. Cortone, ville toscane aux confins de l'Ombrie, vit naître Signorelli; la violence et l'emphase tourmentée qui caractérisent ses dessins sont aussi différentes que possible de la sérénité ombrienne. Un autre des principaux représentants du style baroque romain, Pietro da Cortona (P. 117) est, lui aussi, natif de la même ville.

Vers le milieu du quinzième siècle, le pouvoir séculier de la Papauté s'affermit; peintres, architectes et sculpteurs en renom de toute l'Italie furent invités à se rendre à Rome où la confrontation des styles provoqua chez ceux qui y travaillèrent la perte partielle de leurs caractéristiques provinciales. Pinturicchio se trouvait parmi eux. Après sa période florentine, Michel-Ange travailla plusieurs années à Rome et Raphaël y passa une grande partie de son existence. Au dix-septième siècle, Rome devint le véritable centre de l'épanouissement du Baroque et deux très grands peintres français, Poussin et Claude Lorrain y vécurent. Puis, après que les Carrache eurent quitté Bologne pour Rome, un style décoratif grandiose s'y développa. Jusqu'au milieu du dix-huitième siècle, la réputation de Rome, foyer des arts, se maintint grâce à Piranèse, Vénitien de naissance (P. 128) et à Vanvitelli, Flamand italianisé (P. 120).

Bien que Florence continuât à former, jusqu'au dix-septième siècle, d'excellents dessinateurs, la grande période florentine coïncide avec le dernier quart du quinzième et le premier quart du seizième siècle. Des artistes de la génération qui succéda à celle de Pollaiuolo (P. 43 et 44) Botticelli fut probablement le plus parfait et Andréa del Sarto le plus grand de la génération suivante. Au sommet se situe Michel-Ange qui profita non seulement des enseignements de Pollaiuolo et de Signorelli mais aussi de ceux de Léonard de Vinci. Les quelques dessins reproduits dans ce volume (P. 84, 85, 88 et 89) sont révélateurs de son talent mystérieux et complexe et permettent de juger des doutes et des scrupules éprouvés par l'artiste dont les personnages de ses dessins semblent parfois l'émanation; ils n'empêchèrent d'ailleurs pas Michel-Ange de fournir une somme de travail énorme dans de nombreux domaines.

Le style noble, ample et spacieux de l'école de Bologne tel qu'il ressort des œuvres de Cavédone (P. 116), des Carrache (P. 106 et 118) et du Guerchin (P. 114), contribua en même temps que le style plus tourmenté des écoles de

Naples et de Gênes à la grandeur de la Rome du dix-septième siècle. Castiglione (P. 115) quitta Gênes, sa ville natale, voyagea d'un bout à l'autre de la péninsule italienne et vulgarisa le style libre du dessin baroque. Castiglione qui tenait un pinceau à bout de bras utilisait de la peinture rouge en guise d'encre et exécutait ses lavis avec du bleu céleste. Son don d'invention extraordinaire dans le domaine des scènes pastorales lui inspira des dessins qui, sans cesser de relever de l'art graphique, s'apparentent presque à la peinture. Deux générations plus tard, Magnasco (P. 121), Gênois lui aussi, sut trouver des équivalences mystérieuses, attirantes et lumineuses, à la peinture gaie et vibrante de l'école vénitienne.

Au dix-huitième siècle, des voyageurs et des collectionneurs anglais, français, russes et même américains affluaient à Venise, ville amphibie et ancienne, puissance maritime devenue lieu d'amusement et de distractions. Pour répondre à la demande, un grand nombre de dessins furent vendus non pas comme des esquisses et des études qu'ils étaient mais comme œuvres d'art. Ce fut le cas de beaucoup de ceux exécutés par Piazetta (P. 124), par Canaletto (P. 29 et 125) et par les deux Tiépolo (P. 122 et 123). A cette époque qui mérite d'être appelée l'âge d'argent de l'art italien, Venise, ville unique, exerça une véritable fascination sur les artistes; les reflets multiples, les jeux de l'eau et de la lumière, les murailles et les pavements baignés de soleil qui caractérisent l'ambiance vénitienne sont bien tels que les représente Guardi sur ses peintures et ses dessins (P. 126 et 127). Non content de prendre pour exemple les grandes compositions de Véronèse (P. 80), Jean-Baptiste Tiépolo (P. 123) créa son univers propre, à base de soleil, d'ombres, d'espace et de mouvement éthéré qui reste sans équivalent dans l'art romantique et classique.

En dépit du nombre important de ceux qui furent perdus, celui des dessins italiens que l'on possède reste considérable. Certes le feu, la guerre, les intempéries et la négligence ont été fatals à nombre d'entre eux, aux bons comme aux mauvais mais, comme l'a dit Jane Addams, ce qui est excellent a tendance à durer. En outre et sauf quand les encres corrosives ont

Michel-Ange
Étude d'un cheval et d'un cavalier attaquant des fantassins
Plume (42,7 × 28,3)
Oxford, Ashmolean Museum

rongé le papier, un dessin exécuté sur du pur chiffon a plus de chances de braver le temps qu'une peinture sur toile. Depuis le seizième siècle, à l'exception de ceux qui provoquèrent la détérioration des dessins en exposant ceux-ci à la lumière crue, les collectionneurs ont grandement servi la connaissance générale en conservant les dessins. Giorgio Vasari (1511-1573) qui habita Arezzo, Florence puis Rome, fut le biographe des artistes de sa génération et de la génération précédente et aussi un collectionneur méthodique; il rassembla les dessins en volumes dont lui-même dessina les reliures. Après lui, un prêtre milanais, Sébastiano Resta (1635-1744) collectionna les œuvres des artistes qu'il admirait. Jusqu'en 1920, la famille Moscardo, de Vérone, posséda une véritable "mine" de dessins des quinzième et seizième siècles, dûs principalement à des artistes de l'Italie du nord. Depuis le dix-huitième siècle, même après la dispersion des grandes collections, un grand nombre d'artistes et de collectionneurs étrangers ont assuré la conservation des dessins italiens à l'intention de la postérité. Sans eux et sans des écrivains comme Bérenson, Tietze et Popham, nous ne connaîtrions qu'un nombre de dessins beaucoup moins important que celui que nous possédons.

Ce volume comporte peu de dessins se rapportant à l'architecture et à la sculpture, mais ceux-ci illustrent parfaitement l'éventail des styles propres aux différents ateliers italiens. Les dessins les plus anciens sont, pour la plupart, des copies qui formaient le gros des compositions conventionnelles ou des représentations des saints les plus populaires. Dessinées sur parchemin, elles étaient moins fragiles mais, destinées à servir d'aide-mémoires, leur facture témoigne rarement d'une certaine spontanéité. Cela n'excluait pas, néanmoins, que l'apprenti qui acquérait son bagage en copiant les dessins de son maître, n'ait eu parfois une soudaine illumination fondée sur une expérience nouvelle.

Au début de la Renaissance, tout artiste: apprenti, tâcheron ou chef d'atelier se servait d'un carnet de croquis; le format des feuilles représentait, en moyenne, le huitième de la feuille fabriquée à la main. Avec une éponge

Parmesan (Le)
Saint Roch
Plume, encre brune et lavis brun
(20 × 14,8) Paris, Louvre

mouillée ou une brosse plate, on appliquait une mince couche d'os pulvérisés et légèrement teintés. Quand la couche était sèche, on la glaçait ou la lissait pour qu'elle conserve un aspect mat; cette pâte était légèrement abrasive, de sorte que la feuille convenait parfaitement au dessin exécuté au moyen d'un stylet en argent, qui sur du papier ordinaire n'aurait pas laissé de trace. Les lignes dessinées sur la surface blanche ou teintée devenaient grises ou ocre par oxydation et, en même temps, indélébiles. Un peu de stéatite, de gypse ou simplement de craie mettait en valeur les fonds colorés. Dans son atelier, l'artiste se servait de pâtes à base de blanc de zinc ou de plomb qu'il étalait au pinceau. L'opposition des teintes mettait en valeur la couleur et donnait l'illusion du relief et du volume là où les ombres hachurées coïncidaient avec les touches de blanc. Les stylets d'argent étaient parfois remplacés par des pointes en cuivre. On soulignait aussi les traits au moyen d'une plume trempée dans l'encre, mais cette technique était risquée; la surface absorbait le liquide et elle avait tendance à se plisser.

L'avantage majeur du carnet de croquis était de dispenser l'artiste de transporter son encre; d'autre part, contrairement au bâton de craie et au fusain, le stylet d'argent n'avait nul besoin d'être taillé. Le "Cheval et Cavalier" (P. 85) de Léonard de Vinci est un exemple de dessin exécuté de cette façon et l'"Homme à l'armure" (P. 96) du Pérugin un spécimen de dessin à la pointe d'argent sur fond teinté et rehaussé de blanc de zinc. Cette dernière œuvre présente d'autant plus d'intérêt qu'elle est le résultat de la transposition, par un jeune artiste, d'une œuvre plus ancienne; il s'agit, dans ce cas précis, de la statue de St-Georges que le Pérugin avait vue à Florence lorsqu'il avait vingt-cinq ans. Elle était en place depuis une soixantaine d'années.

Nanti de ses copies et de son album de croquis, un artiste pouvait montrer son savoir faire à un éventuel mécène; quand l'artiste et le commanditaire avaient choisi le thème du tableau, l'artiste effectuait une série de dessins, les premiers sous forme d'esquisses, les autres sous forme d'études. L'artiste dessinait généralement au crayon ou à la plume sur une feuille de papier blanc; des traits au fusain qui pouvaient, le cas échéant, être gommés ou effacés, suggéraient les volumes. L'encre utilisée par les dessinateurs était une décoction à base de noix de galle et de sulfate de fer (de la rouille dans la plupart des cas); sèche, cette encre devenait plus ou moins noire et virait fréquemment au gris ou au bistre. Un noir franc et durable était fourni par du noir de fumée ou par un carbone dilué dans une solution de gomme arabique.

La plume était une plume d'oie, et, pour les travaux plus minutieux, une plume de corbeau. De même que les écrivains, les artistes se servaient d'un canif pour tailler ou fendre la pointe de leurs plumes; pour les traits gros et larges, un roseau taillé faisait également l'affaire.

La planche 17 dessinée par Zoppo et la planche 53 de Piero di Cosimo sont d'excellents spécimens d'esquisses préliminaires bien qu'elles aient été découpées puis reconstituées; il en est de même du dessin (P. 74) d'un artiste vénitien inconnu du seizième siècle. Les deux derniers dessins se distinguent par l'addition, fréquente dans des compositions de cette sorte, d'un lavis à l'encre diluée exécuté avec un pinceau effilé. Chez Piero di Cosimo, ce lavis sert à suggérer la couleur et le fond et c'est lui qui souligne la silhouette dans le dessin du Vénitien inconnu.

Quand une composition avait été arrêtée en commun par le client et par l'artiste, le contrat pouvait prévoir la fourniture d'une maquette ou d'une composition définitive. Ces modèles étaient généralement exécutés à la plume, à l'encre et au lavis et contenaient parfois des touches d'aquarelle ou des rehauts en blanc si le papier était teinté. La planche 112 – bien qu'elle ait été reconstituée – et aussi probablement la planche 121 illustrent le deuxième état. Une peinture réussie qui différait du modèle par quelques détails d'exécution était commémorée par un dessin placé dans l'atelier. Le dessin minutieux exécuté d'après Caténa (P. 68) est certainement une copie, de même que le lavis de Giorgione (P. 75).

En cours d'exécution de l'œuvre commandée, les détails donnaient lieu à des études dessinées à une plus grande échelle que l'esquisse générale. En ce qui concerne les personnages, les études portaient sur l'attitude, sur le costume et sur l'expression du visage.

Ces études étaient, pour la plupart, exécutées à la craie ou à la sanguine d'après une esquisse au fusain; afin de suggérer le relief, le papier était rehaussé d'un lavis coloré. Après la généralisation des papiers teintés : bleu, ocre etc..., les lumières furent indiquées à la craie. Les attitudes et les postures compliquées étaient spécialement étudiées et dessinées d'après une maquette. Les différences sensibles existant entre les attitudes dessinées au dessus ou à côté de la version originale sont un des principaux motifs d'intérêt d'un grand nombre d'études. Il s'agit, en définitive, de dessins de travail, d'études préparatoires qui ne nécessitaient ni rature, ni retouche. Les changements de conception et d'éclairage sont parfois évidents; c'est le cas pour le dessin (P. 117) de Pietro da Cortona. A l'apogée et à la fin de la Renaissance, quand les vieux procédés d'atelier et les anciens canons furent tombés en désuétude, méthodes et matériaux divers furent employés concurremment. L'étude de Sébastiano del Piombo (P. 83) est une silhouette dessinée à la craie conformément aux normes mais affinée par l'emploi de la gouache (blanc liquide). Par la suite et pendant la période couverte par ce volume, la craie noire naturelle – schiste carbonifère taillé en forme de bâton – fut remplacée par le crayon, graphite ou charbon de bois comprimé et amalgamé à l'aide d'un liant. La sanguine et l'hématite servirent aussi, occasionnellement, à la fabrication des crayons. Quelques années avant 1500, les artistes commencèrent à employer la sanguine, mais, peu de temps après, sanguine et noir furent communément associés. La planche 41 de Signorelli est un des premiers exemples connus de cette technique; d'autres spécimens d'études de détails sont la planche 111 de Bassano, la planche 118 d'Augustin Carrache, la planche 101 de Michel-Ange, la planche 71 de Mainardi, la planche 40 de Gozzoli et la planche 95 d'Andréa del Sarto. Parfois, comme sur le dessin du Pérugin (P. 96), les études de détails étaient dessinées à la pointe d'argent.

Il n'est pas toujours facile de déterminer si certaines études de portraits étaient destinées, dès l'abord, à être intégrées à de grandes compositions, si elles furent dessinées pour elles-mêmes ou pour servir à l'exécution ultérieure d'un portrait. Sur la planche 59 de Vivarini et sur la planche 82 de Lotto, l'attitude et la posture permettent d'affirmer que ces portraits sont des études préparatoires à l'exécution de compositions plus importantes. La planche 63 qui représente un dessin d'Antonello da Messina constitue vraisemblablement

Canaletto : *Ruine d'une cour. Plume et lavis sur croquis au crayon (29,3 × 20,7) Chicago, The Art Institute of Chicago. The Samuel P. Avery Found*

un état préparatoire à un portrait à l'huile. En revanche, les études d'Annibal Carrache (P. 106) et de Piazzetta (P. 124) ont été dessinées pour elles-mêmes.

Les paysages ont rarement fait l'objet d'études préalables. Après que Léonard de Vinci eut constaté que la composition du paysage était digne de retenir l'attention, d'autres artistes s'intéressèrent, eux aussi, au sujet et la peinture paysagiste devint, dorénavant, une branche de la peinture. A Rome, au dix-septième siècle, le peintre Claude Lorrain, qui incarnait la double attitude, nordique et méridionale, à l'égard du paysage, dessinait constamment en extérieur. Toutefois, la représentation paysagiste ne suscita jamais en Italie le même engouement qu'en Hollande.

Une étude comme celle du Titien (P. 78) servit de fond pour une peinture, ou pour une gravure, sur bois ou sur métal; celle de Vanvitelli (P. 120) fut exécutée directement pour la vente, ainsi, probablement, que les deux dessins de Canaletto (P. 29 et 125), aux oppositions voulues de lavis gris à l'encre diluée et de lignes brunes tracées à l'encre acide.

Quand tous les détails d'une peinture étaient prêts, et que le panneau, la toile ou la portion de mur avaient été préparés pour recevoir la détrempe, l'huile ou la fresque, on esquissait les grandes lignes de la composition; les artistes vénitiens les traçaient souvent directement au pinceau sur la toile. Les artistes méthodiques et organisés se servaient d'un carton, feuille de papier de la taille du tableau à exécuter sur laquelle les contours avaient été rapportés soit par agrandissement des études de détails ou de composition, soit au moyen d'un quadrillage qui permettait de reproduire les détails, carré par carré, à l'échelle exacte. Les dessins de Bramante (P. 37), de Titien (P. 78), de Sébastiano del Piombo (P. 83) et de Pontormo (P. 92) furent ainsi exécutés sur du papier quadrillé.

Le carton était alors reproduit sur le panneau ou la toile soit par traçage, soit par décalque. Lorsque les tableaux étaient de grandes dimensions, on assemblait au préalable les études.

Le décalque s'effectuait au moyen de charbon de bois pulvérisé contenu dans un sachet; on appliquait celui-ci sur les lignes principales du dessin perforées de trous rapprochés qui, par ce procédé, s'imprimaient sur la toile. Le dessin (P. 72) de Raffaellino del Garbo, étude pour un motif de broderie, a été exécuté de cette façon. Cette méthode permet de mieux maintenir la toile car le traçage réclame une surface dure sous la feuille de papier.

Pour reporter un dessin sur un mur destiné à recevoir de la peinture à fresque, on utilise un procédé analogue; la couleur doit être appliquée sur l'enduit frais et l'on ne peut enduire que la surface susceptible d'être peinte en moins d'une journée. Le dessin est collé à l'endroit convenable puis, muni d'un canif ou d'un stylet, l'artiste le grave sur l'enduit à travers le papier qu'il découpe au fur et à mesure. Ainsi s'explique que très peu de cartons de fresques aient été conservés. Un des meilleurs spécimens de cartons reproduits dans ce volume est celui du Corrège (P. 104) dont les caractéristiques et les dimensions indiquent qu'il s'agit d'une étude de détail.

Parmi les dessins exécutés pour eux-mêmes, figurent ceux de Guerchin (P. 114) et des deux Tiépolo (P. 122 et 123) qui tiennent une place importante dans leur œuvre. Tiépolo le jeune dessinait directement pour la vente, comme l'avait fait Canaletto. La reproduction (P. 126) du dessin de Guardi fait partie de la série des Caprices; bien qu'il s'agisse souvent d'études préliminaires, cette série comprend également des dessins exécutés pour eux-mêmes. Certaines fantaisies architecturales de Piranèse n'étaient considérées ni comme des gravures, ni comme des maquettes de décor, ni comme des relevés. Les dessins vénitiens exécutés en tant que dessins autonomes tiennent une place particulièrement importante dans la sélection des dessins italiens reproduits dans ce volume.

Altichiero da Zevio : *Feuille d'album. Plume avec lavis gris et brun (22 × 34,5). Bayonne, Musée Bonnat*

Anonyme toscan (15e s.)
Incidents lors d'un pèlerinage à Jérusalem
Plume et aquarelle (25,4 × 13,6)
Cambridge, Mass,
Harvard University
Fogg Art Museum

Anonyme florentin (15e s.)
Étude de cheval
Pinceau et sépia rehaussés de blanc
(12 × 17,5)
Princeton, New Jersey
Princeton University, The Art Museum

Anonyme lombard (début du 15ᵉ s.) : *Scène de chasse (?). Plume, rehauts de blanc (14,8 × 18,2). Budapest, Musée des Beaux-Arts*

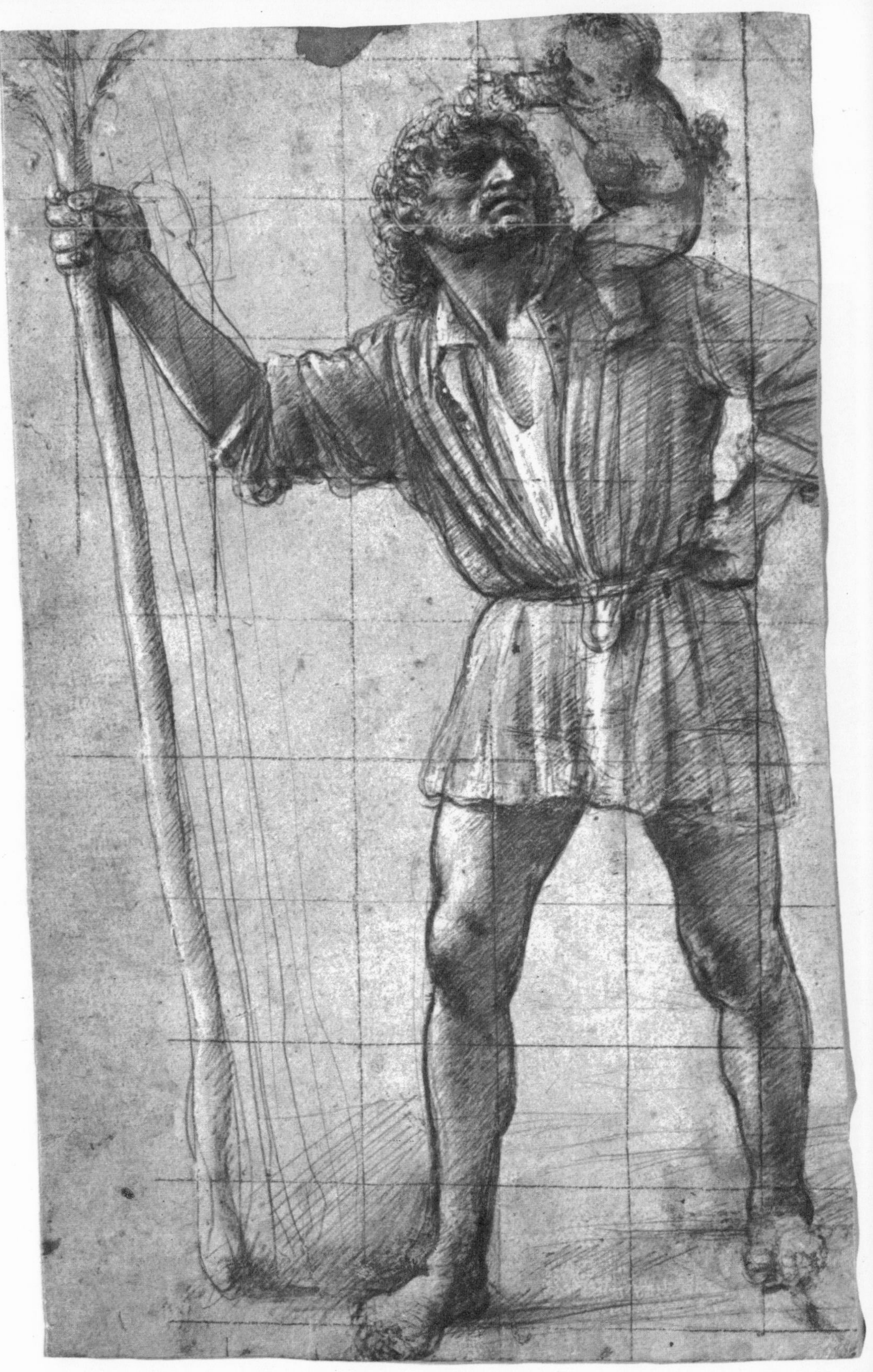

Bramante
Saint-Christophe
Pointe d'argent rehaussée de blanc
(30,8 × 19)
Copenhague
Musée royal des Beaux-Arts

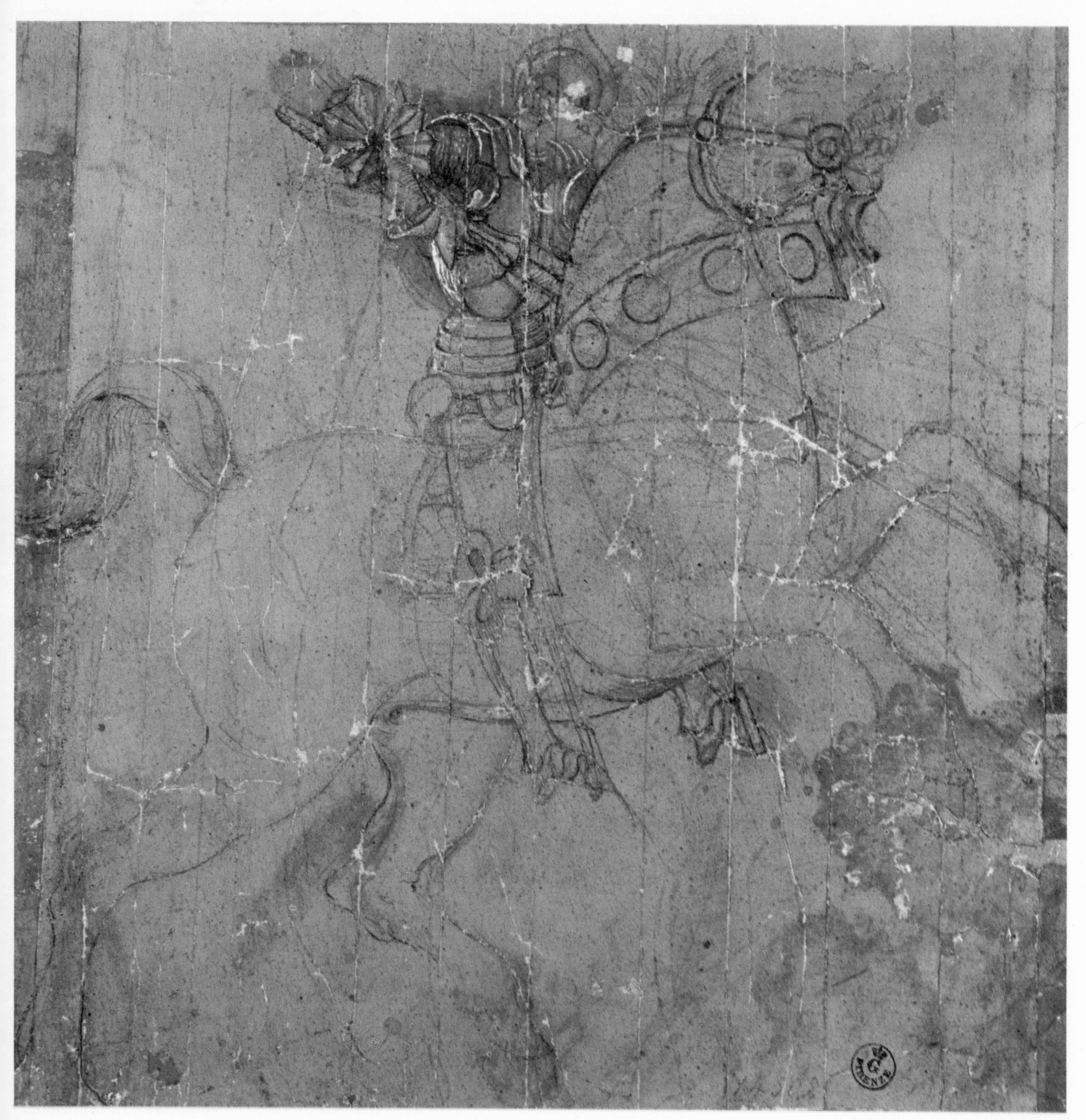

Uccello
Cavalier combattant avec une lance
Plume rehaussée de blanc
Lavis sur pointe d'argent
(30,4 × 34,1)
Florence, Offices

Signorelli
Homme nu poignardant
une femme nue
Craie noire, rehaussée de blanc
(29 × 20,1)
Londres, British Museum

Gozzoli
Figure volante
et études de détail
Plume et lavis,
rehauts de blanc
(21,4 × 17,3).
Cambridge, Mass.
Harvard University
Fogg Art Museum
Meta and Paul
J. Sachs collection

Signorelli
Nus attachés
Craies noire et rouge
(28,5 × 21,5)
Florence, Offices

Fra Filippo Lippi
Orante
Pointe de métal
et lavis sur craie noire
(30,8 × 16,4)
Londres, British Museum

Pollaiuolo
Adam
Plume sur craie noire avec des touches de lavis bistre (28,2 × 18)
Florence, Offices

Verrocchio
Tête de femme
Pinceau et encre noire
rehauts de blanc
(26,7 × 22,4)
Paris, Louvre

Pollaiuolo
Hommes nus combattant
Plume, lavis bistre (27 × 18)
Harvard University,
Cambriage, Mass., Fogg Art Museum
Meta and Paul J. Sachs collection

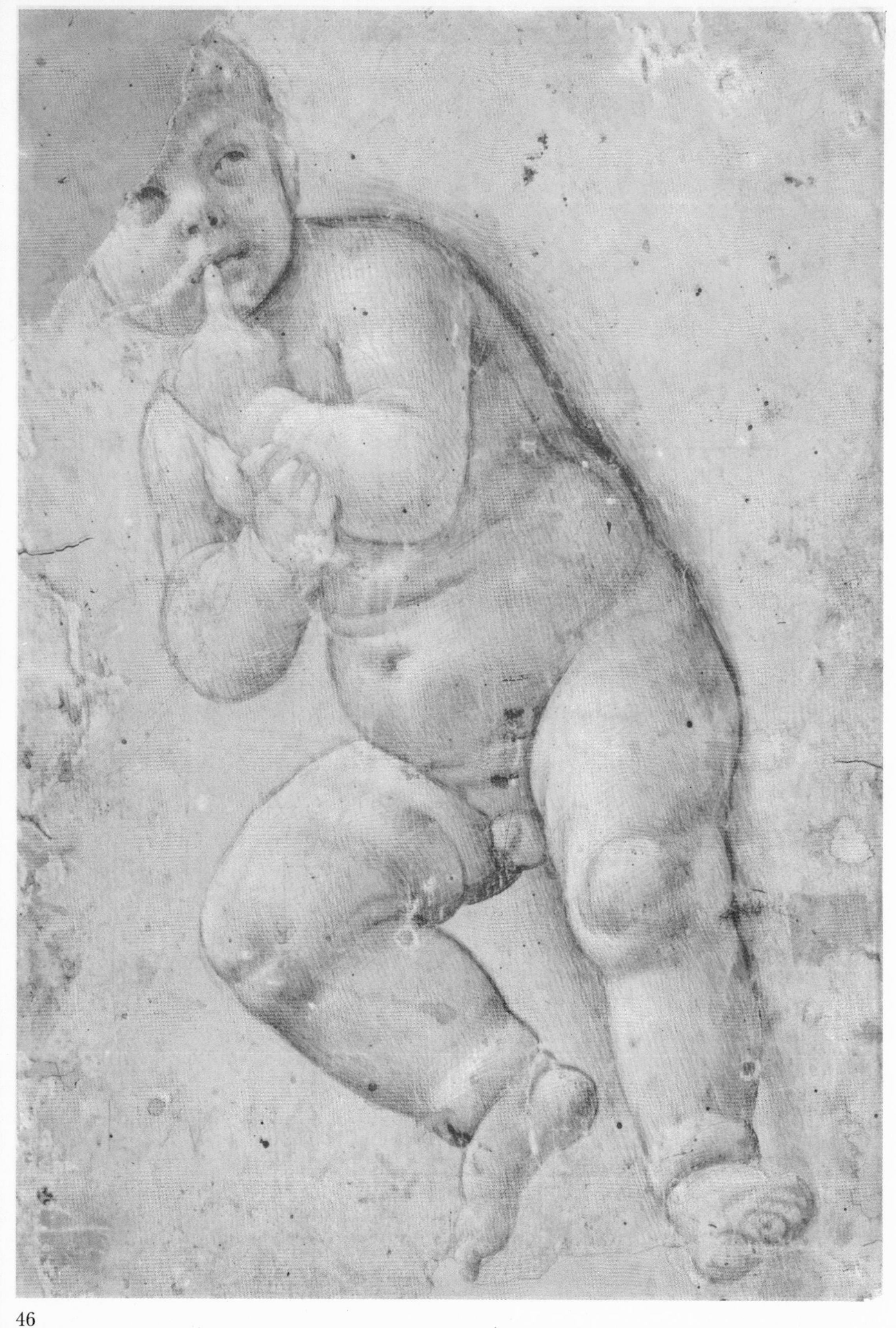

Verrocchio
Tête d'ange
Craie noire (20,8 × 18)
Florence, Offices

Lorenzo di Credi
Étude pour un Christ enfant
Pointe d'argent rehaussée de blanc
(17,5 × 25,4).
Berlin, Kupferstichkabinett

Ghirlandaio David : *Trois hommes drapés. Pointe d'argent rehaussée de blanc (19,7 × 24,3)*
Francfort-sur-le-Main, Städtiches Kunstinstitut

Lorenzo di Credi : *Ange courant, étude de draperie. Pointe de métal, encre et lavis brun, rehaussé de blanc (24,3 × 18,2)*
Londres, British Museum

Ghirlandaio Domenico
Tête de vieille femme
Pointe sèche, rehauts de blanc
(23,2 × 18,5)
Windsor Castle, The Royal collection

Botticelli (école de) : *Étude pour une Pallas. Plume sur craie noire rehaussée de blanc (21,5 × 13). Florence, Offices*

Botticelli
L'Automne ou l'Abondance
Plume et lavis sur craie noire
rehaussée de blanc (31,7 × 25,3)
Londres, British Museum

Piero di Cosimo : *Ariane délaissée (?). Plume et lavis rehaussés de blanc (14,1 × 24,8). Londres, British Museum*

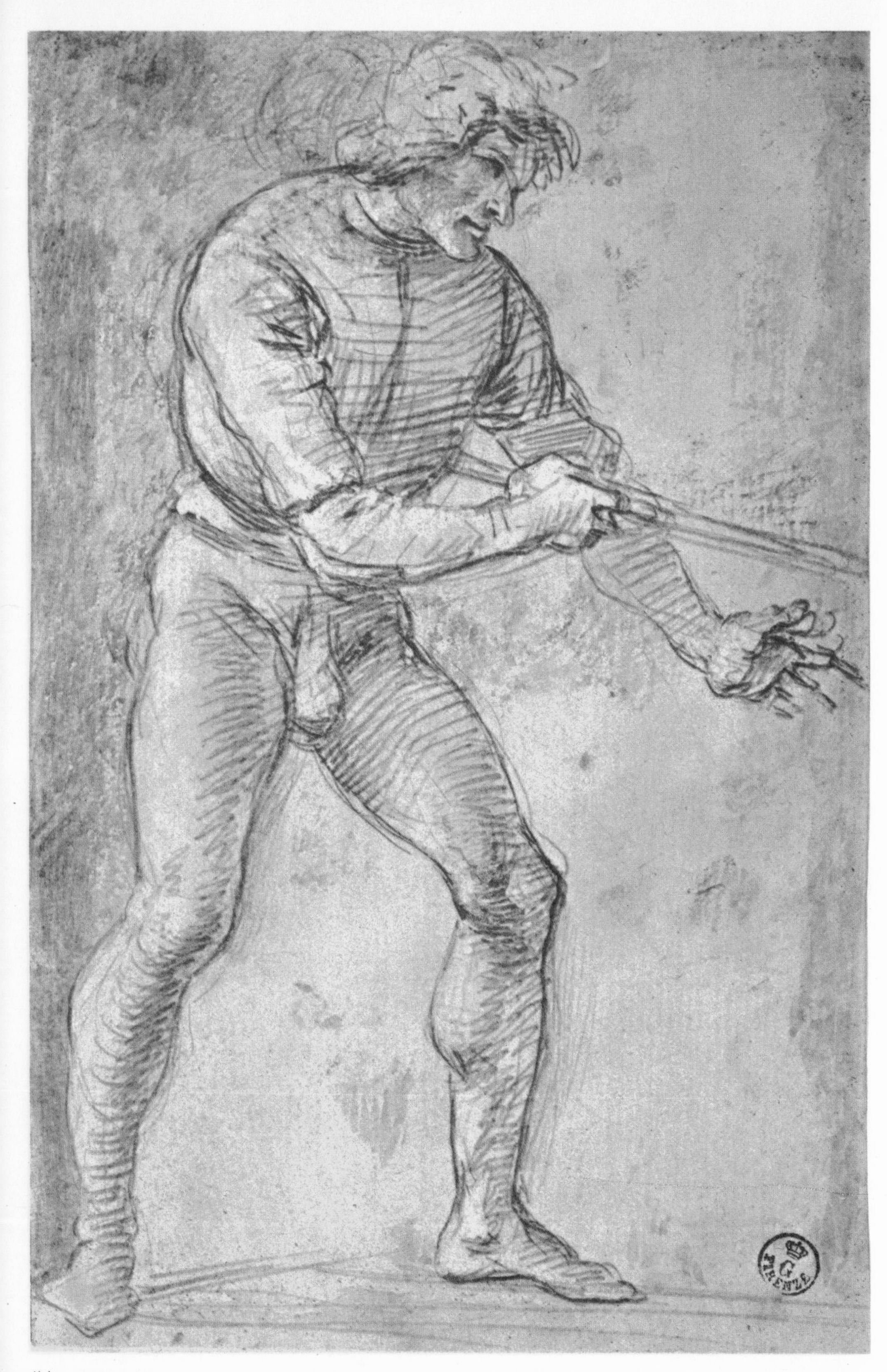

Lippi Filippino
Étude d'un personnage
en mouvement
Craie noire rehaussée de blanc
(18 × 12)
Florence, Offices

Bellini Jacopo : *Enterrement de la Vierge. Plume et encre sur craie noire (21 × 30,4). Cambridge, Mass. Harvard University, Fogg Art Museum*

Pisanello
Étalon sellé
Plume (22,3 × 16,6)
Paris, Louvre

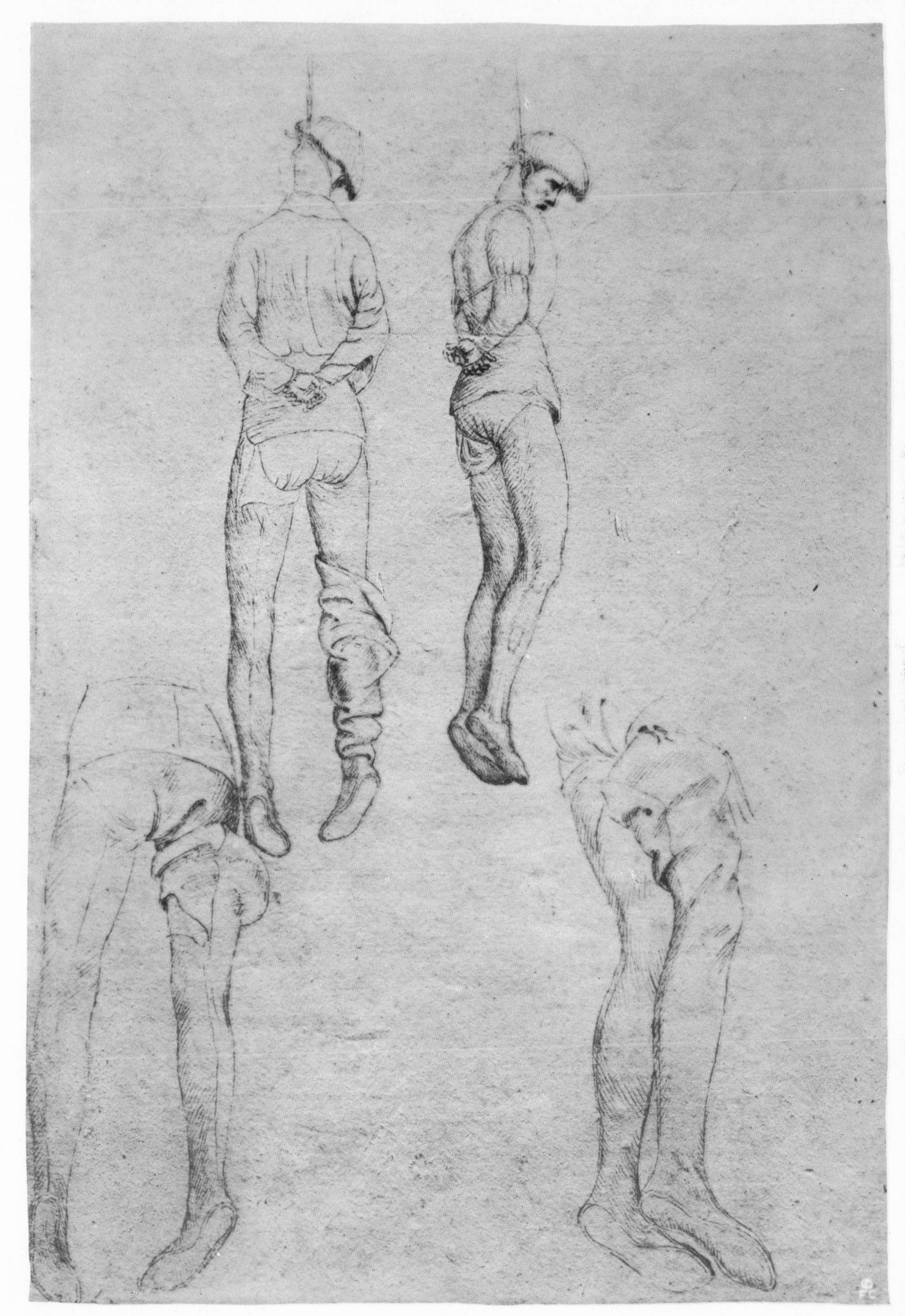

Pisanello
Étude pour des pendus
Plume (26 × 17,5)
New York, The Frick collection

Bellini Giovanni
Tête de vieillard
Pinceau (26 × 19)
Windsor Castle
The Royal Collection

Vivarini
Portrait d'homme portant une toque
Fusain (35,4 × 25,5)
Francfort-sur-le-Main
Städliches KunstInstitut

Carpaccio
Deux femmes turques
Craies noire et blanche
(22,4 × 11,2)
Princeton, New Jersey
Princeton University, The Art Museum

Carpaccio
Tête d'homme barbu
coiffé d'une toque
Lavis brun
rehaussé de blanc et de noir
(26,5 × 18,6), New York
The Pierpont Morgan Library

Francesco del Cossa (École de) : *Vénus embrassant Cupidon dans la forge de Vulcain. Plume (28 × 39,8)*
New York, The Lehman collection

Antonello da Messina : *Portrait d'un jeune garçon. Craie noire (33 × 26,9). Vienne, Albertina*

Mantégna
Mars, Vénus (?) et Diane
Plume et lavis rehaussés de blanc, aquarelle et gouache
(36,4 × 31,7)
Londres, British Museum

Mantégna
Tête d'homme.
Craie noire et lavis
(39,2 × 28)
Oxford, Christ Church
Reproduit avec l'autorisation du Governing Body of Christ Church, Oxford

Francia : *Composition de trois personnages. Pinceau et encre, rehauts de blanc (22,4 × 36,7). Oxford, Ashmolean Museum*

ellegrino da san Daniele : *Tête de vieillard. Sépia (31,9 × 23,4). Berlin, Kupferstichkabinett*

G: Bellini.

Caténa (d'après)
La Vierge et l'Enfant
avec Saint-Jean Baptiste
Craie rouge
rehaussée de blanc
(20,7 × 18,3)
Vienne, Albertina

Bonsignori
Tête d'homme
Craie noire
rehaussée de blanc
(36 × 26,2)
Vienne, Albertina

Ercole di Roberti
Étude pour le centurion perçant le flanc du Christ et la Vierge affligée
Plume rehaussée de blanc
(24 × 16,2)
Munich, Staatliche Graphische Sammlung

Mainardi : *Têtes d'anges. Pointe d'argent rehaussée de blanc (17 × 25,5). Florence, Offices*

Raffaellino del Garbo
Saint-Christophe
Plume et lavis, rehaussés de blanc
(22,5 × 11)
Rome
Gabinetto Nazionale delle Stampe

Sodoma (Le)
Portrait supposé de Raphaël
Craies noire et blanche
(40 × 28,5)
Oxford, Christ Church
Reproduit avec l'autorisation
du Governing Body
of Christ Church, Oxford

Giorgione (?)
L'adoration des bergers
Pinceau et sépia, rehauts de blanc
sur une préparation de craie noire
(22,7 × 19,4)
Windsor Castle, The Royal collection

Anonyme vénitien (16ᵉ s.
d'après Carpaccio)
Jeune homme vu de dos
Crayons rouge et noir
avec touches de lavis
(38,1 × 19). Washington D.C.
The Corcoran Gallery of Art,
The W.A. Clark collection

Titien (Le) : *Le sacrifice d'Isaac. Craie noire (17,7 × 19,8). Paris; École nationale supérieure des Beaux-Arts*

Titien (Le) : *Couple mythologique, parfois appelé Jupiter et Io. Craie noire (25,2 × 26)*
Cambridge, Fitzwilliam Museum.
Reproduit avec l'autorisation des Syndics of the Fitzwilliam Museum

78

Titien (Le) : *Paysage avec un satyre. Plume (18,6 × 20,5). New York, The Frick collection*

Titien (Le) : *Cheval et cavalier tombant. Craie noire (27,4 × 26,2). Oxford, Ashmolean Museum*

Véronèse : *Le repos pendant la fuite en Égypte*
Plume, rehauts de blanc (24,8 × 19,8)
Cambridge, Mass., Harvard University, Fogg Art Museum
Meta and Paul J. Sachs collection

Palma (dit le Jeune) : *Deux Pères de l'Église. Craie noire rehaussée de blanc (23,7 × 42,7). Vienne, Albertina*

Lotto : *Tête d'homme barbu. Craies noire et blanche (18,5 × 13,4). New York, Janos Scholz*

Sébastanio del Piombo : *Étude pour un apôtre. Craie noire rehaussée de blanc (23,5 × 44,5) Chatsworth, Devonshire collection. Reproduit avec l'autorisation des "Trustees of the Chatsworth Settlement"*

Léonard de Vinci : *Paysage de montagne. Plume à l'encre brune (19,3 × 28,5). Florence, Offices*

Léonard de Vinci
Cheval et cavalier
Pointe d'argent
(12,1 × 7,9)
Newport, Rhode Island
John Nicholas Brown

Tintoret (Le)
Étude d'une statuette
Craies noire et blanche
(27,6 × 27,2)
Budapest, Musée des Beaux-Arts

Tintoret (Le)
Étude d'un homme
Fusain (31,4 × 22,3)
Cambridge, Mass.
Harvard University
Fogg Art Museum

Léonard de Vinci
Cinq figures grotesques
Plume (26 × 21,5)
Windsor Castle
The Royal collection

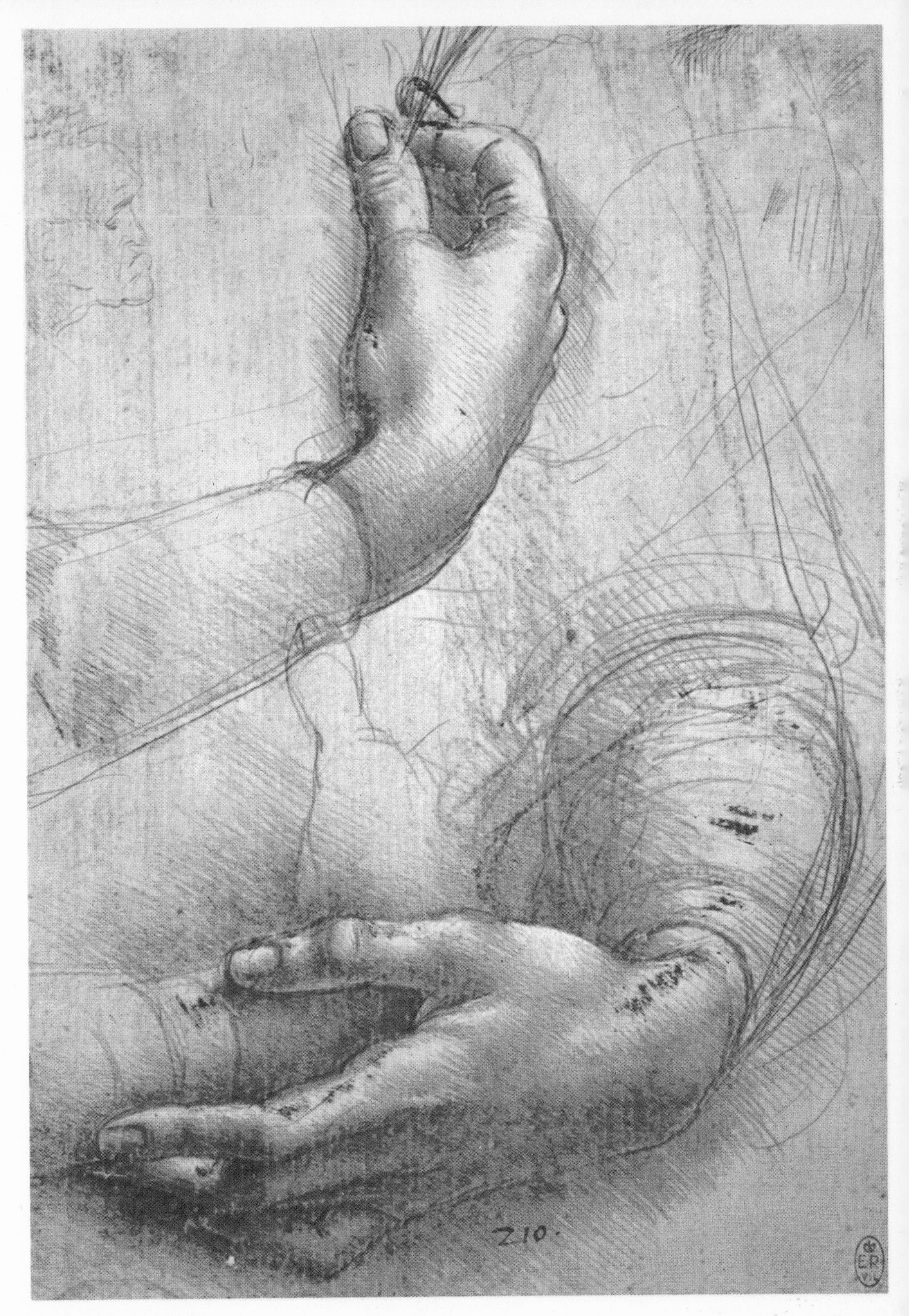

Léonard de Vinci
Étude de mains de femmes
Pointe d'argent rehaussée de blanc
(21,5 × 15)
Windsor Castle
The Royal collection

Fra Bartolommeo
Assomption de la Vierge
Craies noire et blanche
(22 × 17), Munich
Milan, Ambrosienne

Fra Bartolommeo
Étude pour un damné
Craies noire et blanche
(29 × 17,5).
Milan, Ambrosienne

Luini
La Vierge avec l'Enfant et saint Jean-Baptiste
Craie noire et aquarelle (32,7 × 25,5)
Florence, Offices

Pontormo
Glorification du Christ et création d'Ève
Craie noire (33 × 17)
Léningrad, Ermitage

Andrea del Sarto : *Étude pour la main gauche de la madone delle Arpie*
Craie noire (27 × 21). Florence, Offices

Boltraffio : *Étude pour les têtes de la Vierge et de l'Enfant*
Pointe d'argent, ombrée à l'encre (29,7 × 22)
Chatsworth, Devonshire collection Reproduit avec l'autorisation des Trustees of the Chatsworth Settlement

Perugino (dit Le Pérugin)
Homme à l'armure
Pointe de métal. Rehauts de blanc
(24,9 × 18,5)
Windsor Castle, The Royal collection

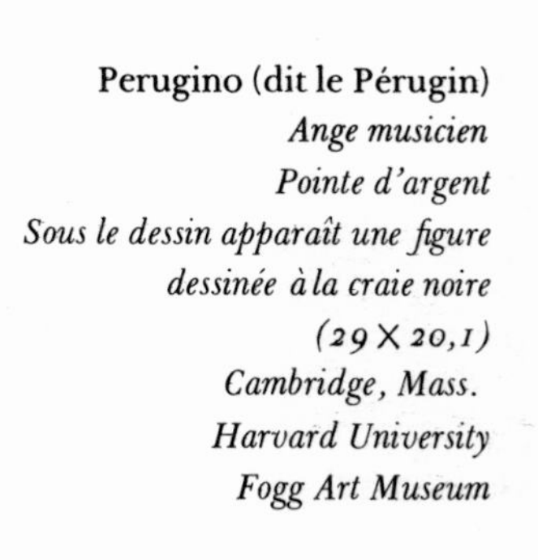

Perugino (dit le Pérugin)
Ange musicien
Pointe d'argent
Sous le dessin apparaît une figure
dessinée à la craie noire
(29 × 20,1)
Cambridge, Mass.
Harvard University
Fogg Art Museum

Raphaël
Femme nue, vue de dos
Craie rouge (25,6 × 16,3)
Haarlem, Teyler Museum

Pinturicchio
Hommes revêtus d'une armure
Plume. Encre brune, rehauts de blanc
(25,9 × 16,3)
Florence, Offices

Pinturicchio
Groupe de six personnages assis
et de sept debout
Pinceau (25 × 17,8)
Cambridge, Mass., Harvard University
Fogg Art Museum
Meta and Paul J. Sachs collection

Michel-Ange
Tête de Lazare
Crayon noir sur craie rouge.
Correction à la plume (22,7 × 21)
Londres, British Museum

Michel-Ange : *Étude d'un homme nu penché. Craie rouge (19,3 × 25,9). Londres, British Museum*

Michel-Ange
Étude pour Adam et Ève
Sanguine (28 × 19,5)
Bayonne, Musée Bonnat

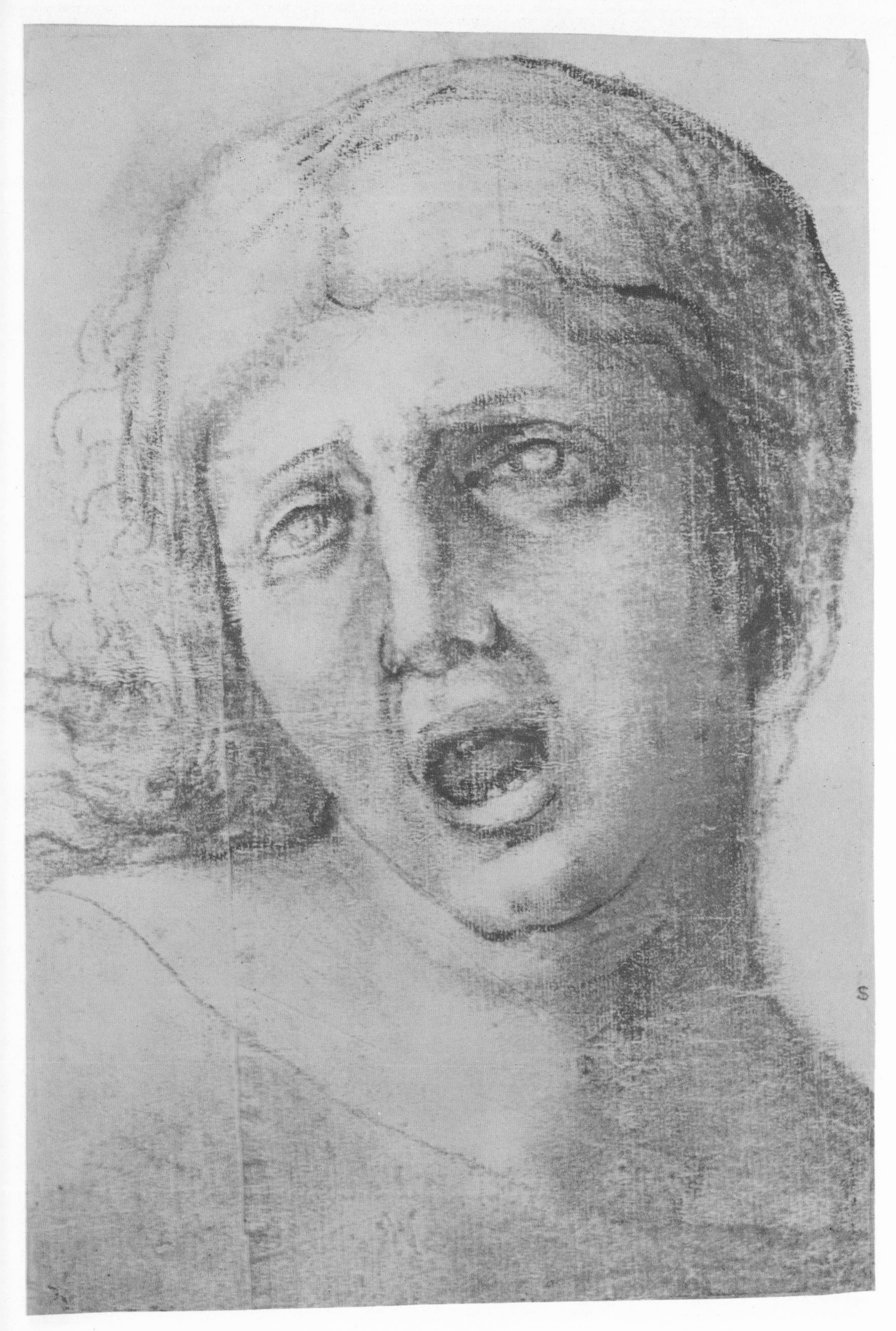

Correggio (dit le Corrège)
Femme affligée
Craie noire ou fusain estompé
rehaussé de blanc avec des touches d'encre
(32,2 × 22,2). New York
The Pierpont Morgan Library

Gatti
Étude pour un apôtre
Pinceau et plume sur craie noire
lavis gris et touches de jaune et de rose
(40,2 × 22,3)
Oxford, Ashmolean Museum

Carrache Annibal
Portrait d'un jeune homme
Craie rouge rehaussée de blanc
(41 × 27,7)
Princeton, New Jersey,
Princeton University,
The Art Museum,
Don de Miss Margaret Mower
en souvenir de sa mère
Elsa Durand Mower

Primaticcio (dit Le Primatice) : *Femmes nues courant. Plume, traces de lavis (23,2 × 28). New York, The Lehman collection*

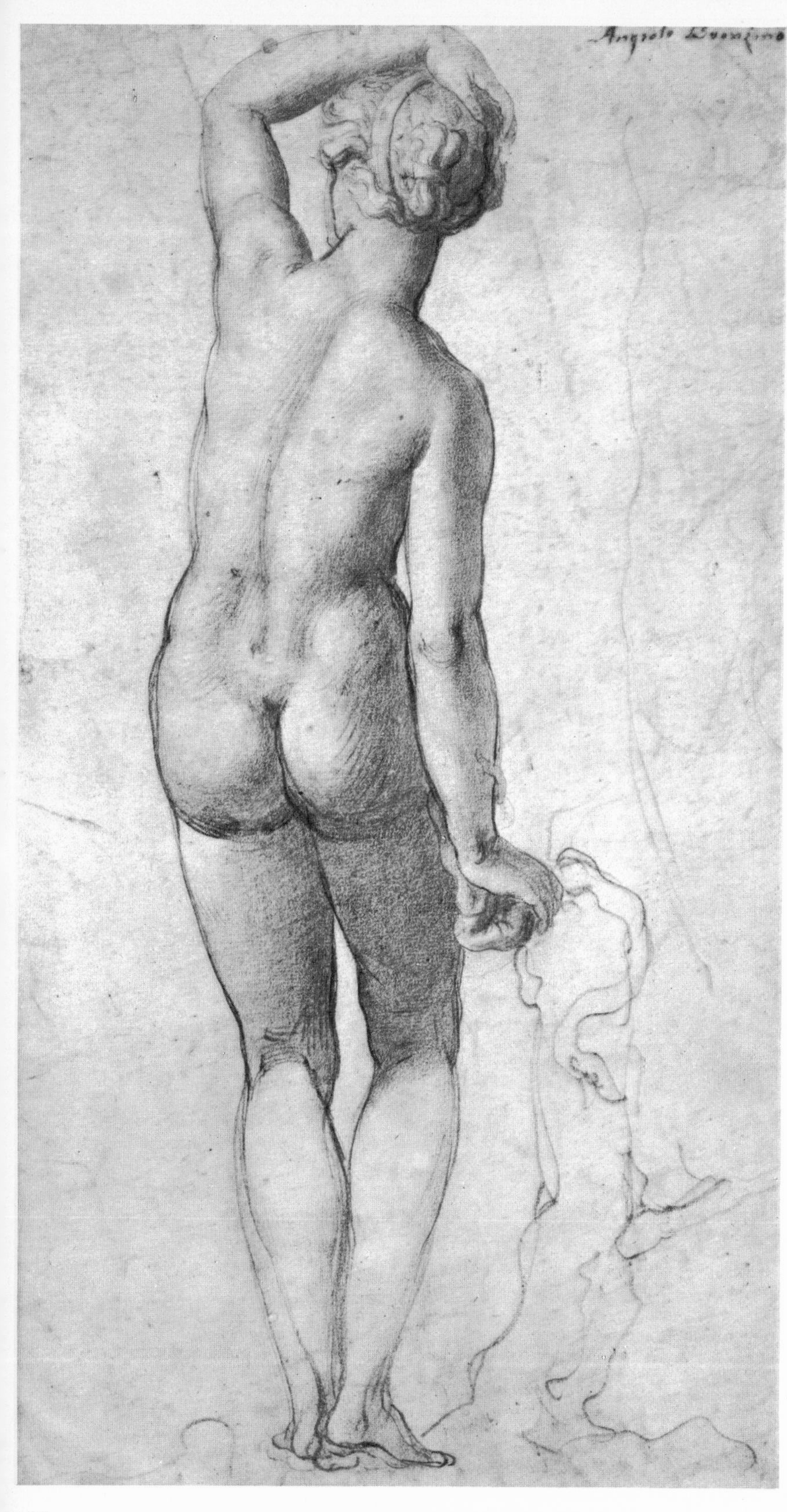

Bronzino
Copie d'après "Cléopâtre" de Bandinelli
Craie noire (38,5 × 21,5)
Cambridge, Mass.
Harvard University
Fogg Art Museum

Buontalenti : *Comédiens. Plume et lavis (19,4 × 25,8).* ***New York****, Janos Scholz*

10

Tibaldi
Étude pour un plafond à motif de "putti"
Plume et lavis brun (33 × 28)
Los Angeles County Museum

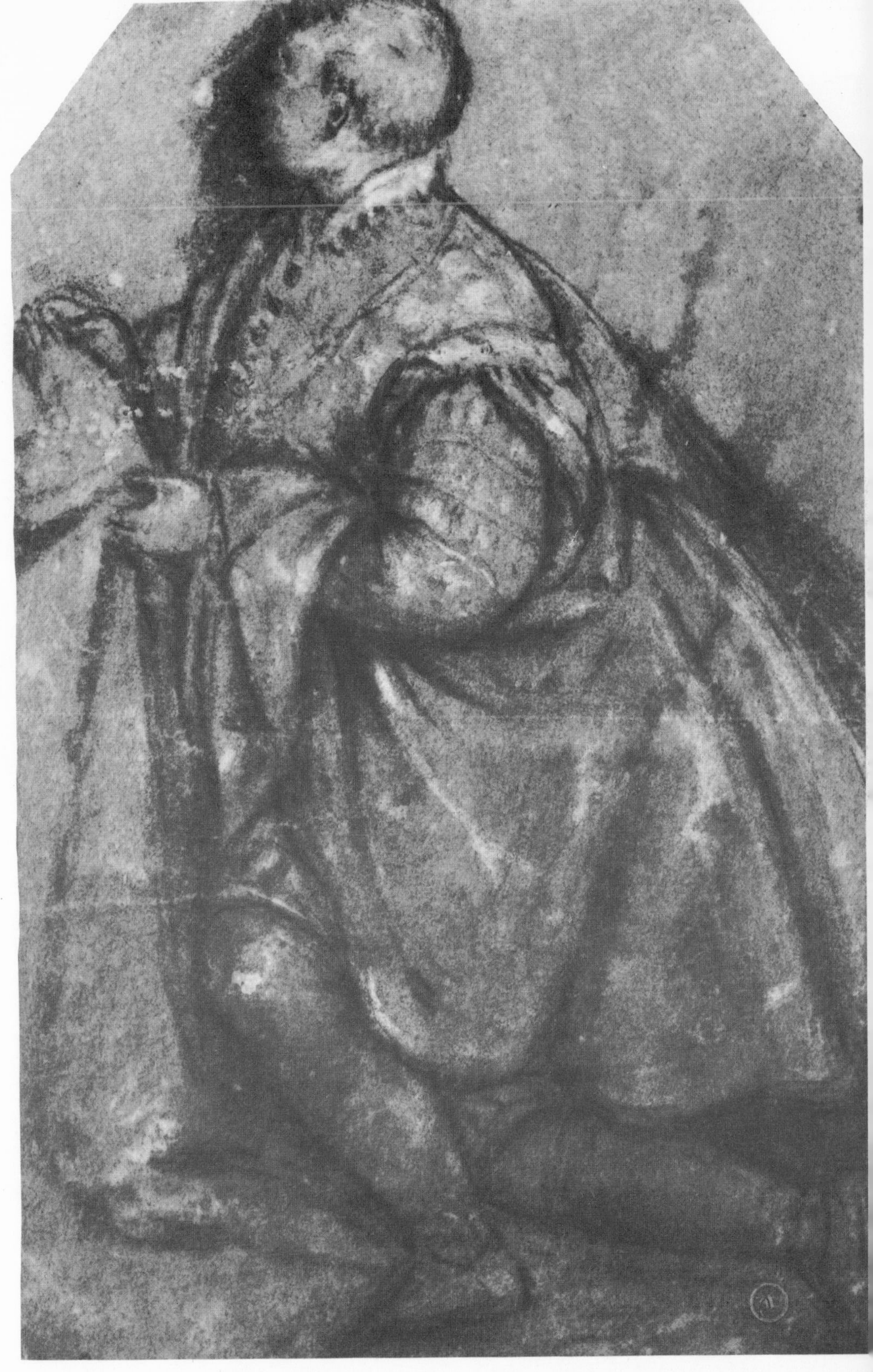

Bassano
Page agenouillé
Craies noire et blanche
(27,6 × 17,8), Londres
Victoria and Albert Museum

Moroni : *La Vierge et l'Enfant avec saint Roch et saint Sébastien. Plume et lavis bleu et brun (24,5 × 37,5). New York, The Lehman collection*

Anonyme italien (17ᵉ s.)
Combat des amazones (?)
Plume et lavis rehaussé de blanc
(26,2 × 18,1)
Londres
Victoria and Albert Museum

Guerchin (Le) : *Homme à cheval. Plume, sépia et lavis (19 × 26,7). Windsor Castle, The Royal collection*

Castiglione : *Abraham en marche vers la terre promise. Lavis de sépia (20,7 × 56,6). Philadelphie, Museum of Art, Pafa collection*

Cavédone : *Saint évèque assis. Fusain rehaussé de blanc (28,5 × 38,7). Cambridge, Mass., Harvard University Fogg Art Museum*

Pietro da Cortona: *La reine de Saba devant Salomon. Plume, lavis et couleurs (21,8 × 35,5). New York, Janos Scholz*

Carrache Augustin : *Homme mort étendu. Craies rouge et blanche (30,5 × 50). Nex York, Janos Scholz*

Anonyme vénitien
(début du 17e s.)
Général triomphant
couronné par une figure volante
Plume et lavis brun (27,2 × 19,7)
Cambridge, Mass. Fogg Art Museum
Harvard University
Meta and Paul J. Sachs collection

Vanvitelli : *Vue de Rome avec la rotonde de Santo Stefano. Plume, lavis de terres verte et bistre mélangés de craie rouge (12,7 × 30,8). Rhode Island, coll. privée*

Magnasco
L'Enfant Jésus dans la crèche
Lavis bistre rehaussé de blanc
(31,1 × 19,7)
Philadelphie, Museum of Art

Tiepolo Giovanni Domenico : *L'assomption de Saint Joseph*
Plume et lavis bistre (45,7 × 35,5). Bradford, Pennsylvanie, T. Edward Hanley

Tiepolo Giovanni Battista : *Quatre figures bacchiques. Plume et lavis (31 × 24). New York, The Lehman collection*

Piazetta : *Jeune femme portant une jarre*
Fusain rehaussé de craie blanche (34,3 × 26)
New York, Mr and Mrs Russell Lynes

Canaletto : *Ile sur la lagune. Plume à l'encre brune et lavis sur dessin au crayon (20 × 27,9). Oxford, Ashmolean Museum*

Guardi
Capriccio romantique
Sépia, plume et lavis
(38,1 × 30,5)
Los Angeles
County Museum

Guardi
Personnages
sous une colonnade
Encre et lavis sur craie noire
(25,5 × 16,6)
Londres
Victoria and Albert Museum

Piranèse : *Architecture imaginaire. Plume et lavis sur une préparation à la craie rouge (36,5 × 50,5). Oxford, Ashmolean Museum*

Biographies

ALTICHIERO DA ZEVIO

(1330-1395 env.), fondateur de l'importante école véronaise, dans le nord de l'Italie. Fortement influencé par Giotto, ses tableaux de genre et ses motifs témoignent d'un mouvement plus intense. A son tour il influence les écoles de peinture bolognaise, parmesane, ombrienne etc... *Page 33*

ANTONELLO DA MESSINA

(1430-1479 env.), s'exerça aux procédés de la peinture à l'huile des pays de l'Europe du nord et son influence fut déterminante, comme en témoigne son dessin "Tête d'enfant"; ses œuvres associent le souci nordique du détail au réalisme italien. *Page 63*

BARTOLOMMEO Fra

(1475-1517), religieux dominicain, fut l'un des principaux peintres de la période transitoire entre les styles du quinzième et du seizième siècles. Il adopta, le premier, les compositions généralisées, l'utilisation de draperies lâches substituées aux vêtements contemporains. La planche 90 est une esquisse pour une fresque de Santa Maria Novella, à Florence. *Pages 90 et 91*

BASSANO, JACOPO

(1510-1592) fut le membre le plus illustre de cette famille de peintres vénitiens. Le dessin reproduit ici est vraisemblablement une esquisse préliminaire à une peinture présentant un caractère officiel; le Doge est figuré sous les traits du donateur. *Page 111*

BELLINI, JACOPO

(1400-1471 env.), élève de Gentile da Fabriano, a laissé deux carnets de croquis qui furent à l'origine de nombreuses œuvres peintes par ses fils Gentile et Giovanni. *Page 55*

BELLINI, GIOVANNI

(1430-1516 env.) fut, avec Giorgione, le chef de file des peintres vénitiens du quinzième siècle. Influencé par le style de Mantégna et les innovations techniques d'Antonello da Messina, il peignit des personnages caractérisés par une note d'humanisme chrétien. *Page 58*

BOLTRAFFIO, GIOVANNI ANTONIO

(1467-1516), peintre bien vu à la cour du duc de Milan; il travailla ultérieurement dans l'atelier de Léonard de Vinci dont l'influence est manifeste sur le dessin reproduit ici. *Page 94*

BONSIGNORI, FRANCESCO DI ALBERTO

(1455-1519), élève bolognais de Mantégna et peintre à la cour des Gonzague, à Mantoue. Le dessin reproduit ici une esquisse préalable à un portrait exécuté à l'huile ou à la détrempe. *Page 69*

BOTTICELLI, (SANDRO DI MARIANO FILIPEPI)

(1445-1510), fit son apprentissage d'orfèvre avant de devenir le peintre le plus représentatif de l'époque de Laurent le Magnifique. Son œuvre est principalement caractérisée par les finesses et les subtilités du contour, comme il ressort des personnifications de l'Abondance et de l'Automne. *Pages 51 et 52*

BRAMANTE, DONATO

(1444-1514), matérialisa le style de la Haute Renaissance dans le domaine de l'architecture et fut, dans ce domaine, l'égal de Raphaël et de Michel-Ange. Admirateur du style antique, il décora en qualité de peintre, les murs de certains palais édifiés sur ses plans. *Page 37*

BRONZINO, AGNOLO

(1503-1572), principal portraitiste de son époque, subit l'influence de Michel-Ange et fut l'élève de Pontormo, maniériste florentin. "Cléopâtre" est une étude pour un bronze contemporain. *Page 108*

BUONTALENTI, BERNARDO

(1536-1608), élève de Michel-Ange et principal architecte florentin de style baroque, a laissé nombre de dessins de décors et de costumes. *Page 109*

CANALETTO, GIOVANNI, ANTONIO

Canale, dit Canaletto (1697-1768), fut l'un des plus grands peintres de paysages vénitiens. Ses paysages de Venise et de Londres, empreints de sensibilité, révèlent en partie l'influence des peintures de paysages hollandaises qu'il vit à l'occasion de ses voyages en Angleterre. *Pages 29 et 125*

CARPACCIO, VITTORE

(1455-1526), fut l'un des plus grands parmi les peintres vénitiens. Bien qu'elles soient l'illustration d'épisodes légendaires de la vie des saints, ses compositions ont une valeur documentaire considérable car elles sont le reflet de la richesse de Venise au seizième siècle. *Pages 60 et 61*

CARRACHE, AUGUSTIN

(1557-1602), frère d'Annibal Carrache, célèbre peintre bolonais, fut principalement un graveur; il exécuta la gravure des peintures contemporaines de l'apogée de la Renaissance. Avec son frère, il travailla à la décoration des plafonds du Palais Farnèse, à Rome; le dessin reproduit ici est d'une facture très supérieure à celle des peintures à l'huile ou à fresque représentant des nus. *Page 118*

CARRACHE, ANNIBAL

(1560-1609), le plus connu des deux frères, est considéré comme le principal représentant de la tendance classique du style baroque italien. Le dessin reproduit ici révèle une vivacité d'expression qu'il ne rend pas toujours dans ses peintures. *Page 106*

CASTIGLIONE, GIOVANNI, BENEDETTO

(1616-1670), fut probablement l'élève de Van Dyck à Gênes. Sa technique du dessin préfigure celle de Fragonard. *Page 115*

CATENA, VINCENZO

(1465-1531), subit l'influence des Vénitiens Giovanni Bellini et Giorgione ainsi que celle de Raphaël. Le dessin reproduit ici est très représentatif de son style. *Page 68*

CAVEDONE, GIACOMO

(1577-1660). Après son apprentissage dans l'atelier des frères Carracche, il devint ultérieurement l'aide de Guido Réni, artiste représentatif du style du Baroque triomphant. *Page 116*

CORREGIO, ANTONIO

(1489-1534 env.) Allegri, dit le Corrège, travailla surtout à Mantoue et à Parme et perfectionna son style délié en prenant exemple sur celui de Léonard de Vinci. Ses fresques ont été très influencées par la manière de Michel-Ange et de Raphaël. Le dessin reproduit ici évoque les têtes sculpturales des Sybilles de la Chapelle Sixtine. *Page 104*

ERCOLE DE ROBERTI

Ercole d'Antonio de Roberti (1448/55-1496), fut le contemporain de Tura et de Cossa, autres peintres ferrarais. L'influence de Giovanni Bellini est sensible dans le style de Roberti. *Page 70*

FRANCESCO DEL COSSA

(1435-1517), peintre ferrarais, élève de Tura, subit la double influence des peintres florentins et de Piero della Francesca. Le dessin figurant ici est une esquisse préparatoire à l'exécution des fresques du Palais Schifanoia, à Ferrare. *Page 62*

FRANCIA

De son vrai nom Francesco Raibolini (1450-1518), artiste bolognais, effectua la synthèse des styles du Pérugin et des peintres de l'école ferraraise. Comme le montre le dessin reproduit dans ce livre, il subit ultérieurement l'influence de Raphaël. *Page 67*

GATTI, BERNARDINO

dit "Il Sojaro" (1490/95-1576), fut l'élève du Corrège, à Parme. Le dessin reproduit ici fut une étude pour un apôtre de l'Ascension, peinture décorant l'église Saint-Sigismond, à Crémone. *Page 105*

GHIRLANDAIO, DOMENICO

Domenico di Tommaso Bigordi, dit Ghirlandaio (1449-1494), fut le peintre à fresque le plus en vue de Florence au 16e siècle; il est célèbre en tant que créateur de l' "ambiance" appliquée à la peinture. Le dessin reproduit ici est vraisemblablement une copie contemporaine des personnages de son "Adoration" plutôt qu'un dessin exécuté par lui. *Page 50*

GHIRLANDAIO, DAVID

David Ghirlandaio (1452-1525) peintre et mosaïste florentin. Il collabora à nombre d'œuvres avec son frère Domenico. *Page 49*

GIORGIONE

Giorgio Barbarelli, dit Giorgione (1478-1510) fut le premier à abandonner la préparation en grisaille sur laquelle ses devanciers coloriaient au moyen d'un glacis, et à peindre directement dans le ton de l'objet. Sa nouvelle conception de la peinture aura une influence primordiale sur la plupart des peintres vénitiens du 16e siècle. Beaucoup de ses œuvres ont malheureusement été perdues. *Page 75*

GOZZOLI, BENOZZO

(1421-1497 env.), fut le collaborateur de Fra Angelico et de Lorenzo Guiberti. Le dessin que nous donnons de lui est un spécimen de l'habileté dont font preuve les peintres de la Renaissance dans le rendu du drapé. *Page 40*

GUARDI, FRANCESCO

(1712-1793), fut l'un des plus illustres peintres des scènes d'atmosphère et des vues vénitiennes. Le dessin intitulé "Capriccio" représente un sujet architectural purement imaginaire. *Pages 126 et 127*

GUERCHINO, dit le Guerchin

Francesco Barbieri dit le Guerchin (1591-1666), élève de Louis Carrache, développa le style baroque à partir du maniérisme. *Page 114*

LÉONARD DE VINCI

(1452-1519), fit son apprentissage dans l'atelier d'Andréa Verrocchio. Au même titre que Raphaël et Michel-Ange, il passe pour l'un des créateurs de la Haute Renaissance. Il mourut en France où il remplissait, auprès de François 1er, les fonctions de peintre de la cour et d'ingénieur en chef. Les dessins que nous reproduisons de lui témoignent de l'intérêt passionné qu'il portait aux innombrables types humains et aux diverses physionomies.

Pages 84, 85, 88 et 89

LIPPI, FILIPPO

(1406-1469 env.), religieux, élève de Lorenzo Monaco, subit la double influence de Masaccio et de Fra Angelico. Dans ses dessins, on retrouve le style linéaire mais expressif qu'il acquit de Lorenzo Monaco et que Botticelli, qui fut son élève, porta à son plus haut degré de perfection. *Page 42*

LIPPI, FILIPPINO

(1457-1504), fils de Filippo Lippi et, sans doute, élève de Botticelli, termine les fresques commencées par Masaccio dans la chapelle Brancacci, à Florence. Un grand nombre de ses dessins associe le caractère monumental propre à Masaccio et la manière de Botticelli. *Page 54*

LORENZO DI CREDI

(1458-1537). Lorenzo di Credi était le principal collaborateur de Verrochio à l'époque où Léonard de Vinci travaillait dans son atelier. On retrouve l'influence des deux peintres dans l'œuvre de Credi. *Pages 46 et 48*

LOTTO, LORENZO

(1480-1556 env.), peintre vénitien, fut l'élève d'Alvise Vivarini et subit les influences de Giovanni Bellini, de Giorgione, de Palma le Vieux, de Botticelli et du Titien. *Page 82*

LUINI, BERNARDINO

(1482-1532). Peintre milanais et disciple de Léonard de Vinci, il utilisa, lui aussi, souvent, le clair obscur. *Page 93*

MAGNASCO, ALESSANDRO

(1677-1749), peintre gênois, peint surtout des scènes de tempêtes et des paysages tourmentés peuplés de brigands et de moines. Le dessin reproduit ici est une étude pour un retable. *Page 121*

MAINARDI, SEBASTIANO

(mort en 1513), beau-frère et élève de Domenico Ghirlandaio, reproduit dans ses œuvres le style de ce dernier. *Page 71*

MANTEGNA, ANDREA

(1431-1506 env.), originaire de Padoue, fut adopté par le peintre archéologue Squarcione. Lui aussi subit profondément l'influence de la sculpture antique et de celle de Donatello. *Pages 64 et 65*

MICHEL-ANGE

Avec Léonard et Raphaël, Michelangelo Buonarroti (1475-1564), fut le créateur du grand art de la Renaissance en matière de sculpture et le peintre qui joua le rôle principal dans l'évolution et le perfectionnement du maniérisme. *Pages 23, 101, 102 et 103*

MORONI, FRANCESCO

(1471/73-1529), peintre originaire de Vérone, subit l'influence de Mantégna. *Page 112*

PALMA

(1544-1623). Palma, dit le Jeune, termina un certain nombre d'œuvres laissées inachevées par le Titien. Ses dessins attestent la double influence de Véronèse et du maniérisme florentin. *Page 81*

PARMESAN (Le)

Girolamo Francesco Maria Mazzola, dit le Parmesan (1503-1540), l'un des premiers peintres de l'école maniériste, subit l'influence du Corrège. Il travailla à Parme puis à Rome puis, en 1527, durant le sac de Rome, il se réfugia à Bologne. Il consacra ses dix dernières années à peindre les fresques de l'église Santa Maria della Steccata, à Parme. Il fut le plus illustre des dessinateurs maniéristes. *Page 25*

PELLEGRINO DA SAN DANIELE

(1467-1547 env.) également appelé Martino da Udine; ses œuvres sont le reflet du style vénitien du début du seizième siècle. *Page 66*

PERUGINO

Pietro Vannucci, dit le Pérugin (1445-1523) fut probablement un élève de Piero della Francesca puis, plus tard, de Verrocchio. Les attitudes représentées sur le dessin reproduit ici sont caractérisées par une harmonie classique qui anticipe sur celle des œuvres de Raphaël, son élève. *Pages 96 et 97*

PIAZZETTA, GIOVANNI BATTISTA

(1683-1754), peintre vénitien qui subit fortement l'influence de Rembrandt, incarne le style de transition, en Italie, entre le Baroque et le Rococo. Il exerça une influence sur Tiépolo et l'on sait qu'il fut, d'autre part, l'auteur d'un grand nombre de dessins destinés aux collectionneurs. *Page 124*

PIERO DI COSIMO

(1462-1521), Florentin élève de Verrocchio, il fut, ultérieurement, influencé par Léonard et Signorelli. Il est surtout l'auteur de scènes dont le thème est emprunté à la mythologie. *Page 53*

PIETRO DA CORTONA

Pietro Berrettini da Cortona, (1596-1669), fut l'un des fondateurs de l'école baroque romaine. Architecte de génie, il occupe la deuxième place, immédiatement après Bernini. Le dessin reproduit ici est caractéristique de ses compositions étagées à la manière d'un décor de théâtre et très ramassées. *Page 117*

PINTURICCHIO, BERNARDINO

(1454-1513), s'initia au style de l'école de peinture ombrienne et devint le disciple du Pérugin. *Pages 99 et 100*

PIRANÈSE, GIOVANNI BATTISTA

(1720-1778), est l'auteur de centaines d'eaux-fortes et de dessins représentant des ruines romaines. Sa vision romantique de l'univers antique orienta celle de tous les artistes du dix-huitième siècle. *Page 128*

PISANELLO, ANTONIO

(1395-1455), fut vraisemblablement l'élève du peintre gothique Gentile da Fabriano; il est surtout connu comme dessinateur et graveur de médailles. Un grand nombre de ses dessins témoigne de l'intérêt, nouveau pour son époque, des choses de la nature. *Pages 56 et 57*

POLLAIUOLO, ANTONIO

(1432-1498). Sculpteur, peintre, graveur et orfèvre florentin, il dirigeait l'un des ateliers les plus fameux du quinzième siècle. Ses dessins et ses gravures représentant des nus comptent parmi les premières et les plus belles études d'anatomie. *Pages 43 et 44*

PONTORMO, JACOPO

(1494-1556), élève d'Andréa del Sarto. Un des meilleurs dessinateurs de la Renaissance, Pontormo fut l'un des créateurs du style maniériste. *Page 92*

PRIMATICCIO, FRANCESCO

dit le Primatice (1504-1570), peintre maniériste de l'école bolognaise, fut le principal – et le plus instable – membre de l'école de Fontainebleau. C'est par lui que la Renaissance française fut initiée au maniérisme italien. Les lignes sinueuses et les silhouettes estompées qui caractérisent ses dessins illustrent parfaitement les tendances du dessin de la Renaissance française et du maniérisme. *Page 107*

RAFFAELINO DEL GARBO

(1466-1524). Élève de Filippino Lippi, il subit l'influence de Ghirlandaio. Comparé à celui de Bramante, son "Saint Christophe" est dépourvu de la robustesse que l'on attribue généralement à ce saint, mais il a plus de charme. *Page 72*

RAPHAEL

(1483-1520). Raffaello Sanzio, mort à l'âge de trente-sept ans, est considéré comme l'égal de Léonard de Vinci et de Michel-Ange. Élève du Pérugin, il subit, plus tard, l'influence de Léonard. Ses œuvres les plus illustres sont ses Madones, les Chambres du Vatican, la décoration de la Villa Farnesina et la Madone Sixtine. *Page 98*

ANDREA DEL SARTO

(1486-1531). S'inspira des gravures de Dürer et emprunta sa palette colorée aux Vénitiens plutôt qu'à la tradition picturale florentine. Sa "Madone aux Harpies", dont le dessin reproduit ici constitue une esquisse préliminaire, passe pour l'un des fondements du Maniérisme. *Page 95*

SEBASTIANO DEL PIOMBO

(1485-1547) Sébastiano Luciani dit del Piombo se rattache par le style à Giovanni Bellini, dans l'atelier duquel il aurait travaillé. Participe à la décoration de la villa de la Farnésine. En 1531, le pape Clément VII lui confère une charge à la chancellerie des bulles, *l'ouffizio del Piombo*. De là le surnom qui lui est resté. *Page 83*

SIGNORELLI, LUCA

(1441/1450-1523 environ), fut vraisemblablement l'élève du Pérugin. Toutefois, ses dessins rappellent les personnages exagérément musclés des frères Pollaiuoli et annoncent les nus contournés et dramatiques de Michel-Ange. *Pages 39 et 41*

SODOMA

Giovanni Antonio Bazzi, dit le Sodoma (1477-1549), fut un peintre siennois très influencé par la peinture de Léonard, de Pinturicchio et par les sculptures de Jacopo della Quercia.

Page 73

TIBALDI, PELLEGRINO

(1527-1596). Peintre influencé par le Parmesan, Nicoló dell'Abbate et Michel-Ange. Le dessin reproduit ici associe les formes sculpturales propres à Michel-Ange et les lignes sinueuses propres aux Maniéristes.

Page 110

TIEPOLO, GIOVANNI BATTISTA

(1696-1770) fut le plus grand peintre du style rococo italien. Il voyagea à travers toute l'Europe, exécutant des commandes dans des villes aussi éloignées que Wurzbourg et Madrid. Les dessins reproduits ici peuvent être interprétés comme un guide stylistique de la production artistique du XVIIIe siècle.

Page 123

TIEPOLO, GIOVANNI DOMENICO

(1727-1804), fils du précédent, il fut le principal collaborateur de son père et son imitateur bien que leurs manières fussent légèrement différentes par suite d'optiques également différentes.

Page 122

TINTORET (Le)

Jacopo Robusti, dit le Tintoret (1518-1594), est souvent considéré comme l'un des premiers peintres baroques du fait de ses éclairages tragiques d'une ampleur considérable, de son optique originale et du mouvement violent qui anime ses personnages. Les dessins reproduits ici illustrent la technique fougueuse et rapide - on peut presque la qualifier d'impressionniste - qui distingue ses dessins et ses peintures.

Pages 86 et 87

TITIEN (Le)

Tiziano Vecellio, dit le Titien, (1487/1490-1576 env.), le plus grand disciple de Giorgione, représente le sommet de l'école de peinture vénitienne; avec Michel-Ange, Léonard de Vinci et Raphaël, c'est l'une des plus grandes figures de l'apogée de la Renaissance.

Pages 76 a 79

UCCELLO PAOLO

(1396/97-1475), fut l'élève de Ghiberti et l'un des premiers qui s'exercèrent à la technique du raccourci. Ses œuvres les plus fameuses sont les trois "Batailles" conservées aux Offices, à Londres et au Louvre. Le dessin figurant ici est vraisemblablement une étude pour le tableau des Offices. *Page 38*

VANVITELLI, GASPARE

Nom italianisé de Gaspar van Wittel (1653-1736) peintre flamand fixé en Italie; il dessina des paysages dans la manière de Claude Lorrain. *Page 120*

VERONESE

Paolo Caliari, dit Véronèse, (1528-1588 env.), peintre vénitien qui subit surtout l'influence du Titien, de Michel-Ange et du Parmesan. Le dessin reproduit ici représente un des nombreux dessins qui sont, non pas des esquisses préparatoires, mais des dessins exécutés à l'intention des collectionneurs. *Page 80*

VERROCCHIO, ANDREA

(1435-1488), probablement élève de Donatello, devint le chef de file des sculpteurs du XVe siècle florentin. Il eut lui-même, comme élèves, le Pérugin, Léonard de Vinci et Lorenzo di Credi qui travailla à l'exécution de commandes pour le compte des Médicis. Le dessin reproduit ici a été perforé en prévision de son report sur toile ou sur paroi. *Pages 45 et 47*

VIVARINI, ALVISE

(1457-1503) qui fut probablement l'élève de son frère Bartolommeo, fut principalement influencé par Giovanni Bellini et par Antonello da Messina. *Page 59*

ZOPPO, MARCO

(1433-1478) fut sans doute l'élève, à Ferrare, de Cosimo Tura. *Page 17*

Bibliographie

Bean, J. : *Les Dessins Italiens de la Collection Bonnat*. Paris, 1960

Benesch, O. : *Venetian Drawings of the 18th Century in America*. New York, 1947.

Berenson, B. : *Drawings of the Florentine Painters*. 2ᵉ éd., 3 vols., Chicago, 1938

Blunt, Sir A. : and Cooke, H. L., *The Roman Drawings of the XVII and XVIII Centuries in the Collection of Her Majesty the Queen at Windsor Castle*. Londres 1960

Blunt, Sir A. : and Croft-Murray, E., *Venetian Drawings of the XVII and XVIII Centuries in the Collection of Her Majesty the Queen at Windsor Castle*. Londres 1957

Kurz, O. : *Bolognese Drawings of the XVII and XVIII Centuries in the Collection of Her Majesty the Queen at Windsor Castle*. Londres 1955

Parker, K. T. : *North Italian Drawings of the Quattrocento*. Londres, 1927

Popham, A. E. : and Wilde, J., *The Italian Drawings of the XV and XVI Centuries in the Collection of His Majesty the King at Windsor Castle*. Londres, 1949

Tietze, H. and Tietze-Conrat, E. : *Drawings of the Venetian Painters in the 15th and 16th Centuries*. New York, 1944

ALTICHIERO da Zevio

Bronstein, L. : *Altichiero; l'artiste et son œuvre*. Paris, 1932

ANDREA del Sarto

Becherucci, L. : *Andrea del Sarto*. Milan, 1955

ANTONELLO DA MESSINA

Bottari, S. : *Antonello*. Milan, 1953

Fra BARTOLOMMEO

Gabelentz, H. (von der) : *Fra Bartolommeo,* 2 vol., Leipzig, 1922

BELLINI Giovanni

Pallucchini, R. : *Giovanni Bellini*. Milan, 1959

Walker, J. : *Bellini and Titian at Ferrara; a study of styles and tastes*. Londres, 1956

BELLINI Jacopo

Goloubew, V. : *Die Skizzenbuecher Jacopo Bellinis,* 2 vol., Bruxelles, 1912

BOTTICELLI

Argan, G. C. : *Botticelli; biographical and critical study*. New York, 1957

Hartt, F., *Botticelli*. New York, 1962

BRAMANTE

Suida, W. E. : *Bramante Pittore e il Bramantino*. Milan, 1953

BRONZINO

McComb, A. K. : *Agnolo Bronzino*. Cambridge, Mass., 1928

CANALETTO

Parker, K. T. : *The Drawings of Antonio Canaletto in the Collection of His Majesty the King at Windsor Castle*. Oxford, 1948

Augustin CARRACHE et
Annibal CARRACHE

Wittkover, R. : *The Drawings of the Carracci... at Windsor Castle*. Londres, 1952

CARPACCIO

Pignatti, T. : *Carpaccio*. New York, 1958

Lauts, J. : *Carpaccio : Paintings and Drawings*. Londres, 1962

CASTIGLIONE

Blunt, Sir A. : *The Drawings of Giovanni Benedetto Castiglione*. Londres, 1945

CATENA

Robertson, G. : *Vincenzo Catena*. Edimbourg, 1954

CORREGGE (Le)

Popham, A. E. : *Correggio's Drawings*. Londres, 1957

GIORGIONE

Richter, G. M. : *Giorgio da Castelfranco, called Giorgione.* Chicago, 1937

GUARDI

Byam Shaw, J. : *The Drawings of Francesco Guardi.* Londres, 1951

GUERCINO

Russell, A. G. B. : *Drawings by Guercino.* Londres, 1923

LEONARD de Vinci

Clark, Sir K. : *A Catalogue of the Drawings of Leonardo da Vinci in the Collection of His Majesty the King at Windsor Castle.* New York, 1935

Goldscheider, L. : *Leonardo da Vinci : Drawings* 5° éd., New York, 1954

Popham, A. E. : *The Drawings of Leonardo da Vinci* 2° éd., Londres, 1949

LIPPI Filippino

Neilson, K, B. : *Filippino Lippi.* Cambridge, Mass., 1938

Fossi, M. : *Mostra di Disegni di Filippino Lippi e Piero de Cosimo.* Florence, 1955

LOTTO

Berenson, B. : *Lorenzo Lotto.* Londres, 1956

MANTEGNA

Tietze-Conrat, E. : *Mantegna : paintings, drawings, engravings.* Londres, 1955

MICHEL-ANGE

Delacre, M. : *Le Dessin de Michel-Ange.* Bruxelles, 1938

Goldschneider, L. : *Michelangelo Drawings.* Londres, 1951.

Panofsky, E. : *Handzeichnungen Michelangelos.* Leipzig, 1922

Wilde, J. : *Italian Drawings in the Department of Prints and Drawings in the British Museum : Michelangelo and His Studio.* Londres, 1953

PALMA Giovane

Forlani, A. : *Mostra di Disegni di Jacopo Palma il Giovane,* Florence, 1958

PARMIGIANINO

Popham, A. E. : *The Drawings of Parmigianino.* London, 1953

PIERO di Cosimo

Fossi, M. : *Mostra di Disegni di Filippino Lippi e Piero di Cosimo.* Florence, 1955

PIRANESE

Thomas, H. : *The Drawings of G. B. Piranesi.* Londres, 1954

PISANELLO

Degenhart, B. : *Pisanello.* Turin, 1945

RAPHAEL

Popham, A, E. : *Selected Drawings from Windsor Castle : Raphael and Michelangelo.* Londres, 1954

Pouncey, P. and Gere, J. A. : *Italian Drawings in the Department of Prints and Drawings in the British Museum : Raphael and his Circle.* Londres, 1963

TIEPOLO Giovanni Battista

Morassi, A. : *G. B. Tiepolo, his life and work.* Londres, 1955

TINTORET (le)

Fosca, F. : *Tintoret.* Paris, 1929

Hadeln, D. von, : *Zeichnungen des Giacomo Tintorettos.* Berlin, 1922

Salinger, M. : *Tintoretto.* New York, 1962

TITIEN (Le)

Hadeln, D. von, : *Zeichnungen des Titians.* Berlin, 1924

Morassi, A. : *Tiziano.* Milan, 1956

Rousseau, A. : *Titian,* New York, 1962

VERONESE

Palucchini, R. : *Mostra di Paolo Veronese.* Venise, 1939

(Imprimé par Shorewood Press New York. Printed in U.S.A.)